The Thieves

The Thieves

A Story in Simplified Chinese and Pinyin,
1800 Word Vocabulary Level
Includes English Translation

Book 17 of the *Journey to the West* Series

Written by Jeff Pepper
Chinese Translation by Xiao Hui Wang

Based on chapters 50 through 52 of the original Chinese novel
Journey to the West by Wu Cheng'en

IMAGIN8
PRESS

Copyright © 2021 – 2023 by Imagin8 Press LLC, all rights reserved.

Published in the United States by Imagin8 Press LLC, Verona, Pennsylvania, US. For information, contact us via email at info@imagin8press.com, or visit www.imagin8press.com.

Our books may be purchased directly in quantity at a reduced price, visit our website www.imagin8press.com for details.

Imagin8 Press, the Imagin8 logo and the sail image are all trademarks of Imagin8 Press LLC.

Written by Jeff Pepper
Chinese translation by Xiao Hui Wang
Cover design by Katelyn Pepper and Jeff Pepper
Book design by Jeff Pepper
Artwork by Next Mars Media, Luoyang, China
Audiobook narration by Junyou Chen

Based on the original 16th century Chinese novel by Wu Cheng'en

ISBN: 978-1952601620
Version 07

Acknowledgements

We are deeply indebted to the late Anthony C. Yu for his incredible four-volume translation, *The Journey to the West* (University of Chicago Press, 1983, revised 2012).

We have also referred frequently to another unabridged translation, William J.F. Jenner's *The Journey to the West* (Collinson Fair, 1955; Silk Pagoda, 2005), as well as the original Chinese novel 西游记 by Wu Cheng'en (People's Literature Publishing House, Beijing, 1955). And we've gathered valuable background material from Jim R. McClanahan's *Journey to the West Research Blog* (www.journeytothewestresearch.com).

And many thanks to the team at Next Mars Media for their terrific illustrations, Jean Agapoff for her careful proofreading, and Junyou Chen for his wonderful audiobook narration.

Audiobook

A complete Chinese language audio version of this book is available free of charge. To access it, go to YouTube.com and search for the Imagin8 Press channel. There you will find free audiobooks for this and all the other books in this series.

You can also visit our website, www.imagin8press.com, to find a direct link to the YouTube audiobook, as well as information about our other books.

Preface

Here's a summary of the events of the first 16 books in the Journey to the West *series. The numbers in brackets indicate in which book in the series the events occur.*

Thousands of years ago, in a magical version of ancient China, a small stone monkey is born on Flower Fruit Mountain. Hatched from a stone egg, he spends his early years playing with other monkeys. They follow a stream to its source and discover a secret room behind a waterfall. This becomes their home, and the stone monkey becomes their king. After several years the stone monkey begins to worry about the impermanence of life. One of his companions tells him that certain great sages are exempt from the wheel of life and death. The monkey goes in search of these great sages, meets one and studies with him, and receives the name Sun Wukong. He develops remarkable magical powers, and when he returns to Flower Fruit Mountain he uses these powers to save his troop of monkeys from a ravenous monster. *[Book 1]*

With his powers and his confidence increasing, Sun Wukong manages to offend the underwater Dragon King, the Dragon King's mother, all ten Kings of the Underworld, and the great Jade Emperor himself. Finally, goaded by a couple of troublemaking demons, he goes too far, calling himself the Great Sage Equal to Heaven and sets events in motion that cause him some serious trouble. *[Book 2]*

Trying to keep Sun Wukong out of trouble, the Jade Emperor gives him a job in heaven taking care of his Garden of Immortal Peaches, but the monkey cannot stop himself from eating all the peaches. He impersonates a great Immortal and crashes a party in Heaven, stealing the guests' food and drink and barely escaping to his loyal troop of monkeys back on

Earth. In the end he battles an entire army of Immortals and men, and discovers that even calling himself the Great Sage Equal to Heaven does not make him equal to everyone in Heaven. As punishment, the Buddha himself imprisons him under a mountain. [Book 3]

Five hundred years later, the Buddha decides it is time to bring his wisdom to China, and he needs someone to lead the journey. A young couple undergo a terrible ordeal around the time of the birth of their child Xuanzang. The boy grows up as an orphan but at age eighteen he learns his true identity, avenges the death of his father and is reunited with his mother. Xuanzang will later fulfill the Buddha's wish and lead the journey to the west. [Book 4]

Another storyline starts innocently enough, with two good friends chatting as they walk home after eating and drinking at a local inn. One of the men, a fisherman, tells his friend about a fortuneteller who advises him on where to find fish. This seemingly harmless conversation between two minor characters triggers a series of events that eventually cost the life of a supposedly immortal being, and cause the great Tang Emperor himself to be dragged down to the underworld. He is released by the Ten Kings of the Underworld, but is trapped in hell and only escapes with the help of a deceased courtier. [Book 5]

Barely making it back to the land of the living, the Emperor selects the young monk Xuanzang to undertake the journey, after being strongly influenced by the great bodhisattva Guanyin. The young monk sets out on his journey. After many difficulties his path crosses that of Sun Wukong, and the monk releases him from his prison under a mountain. Sun Wukong becomes the monk's first disciple. [Book 6]

As their journey gets underway, they encounter a mysterious

river-dwelling dragon, then run into serious trouble while staying in the temple of a 270 year old abbot. Their troubles deepen when they meet the abbot's friend, a terrifying black bear monster, and Sun Wukong must defend his master. *[Book 7]*

The monk, now called Tangseng, acquires two more disciples. The first is the pig-man Zhu Bajie, the embodiment of stupidity, laziness, lust and greed. In his previous life, Zhu was the Marshal of the Heavenly Reeds, responsible for the Jade Emperor's entire navy and 80,000 sailors. Unable to control his appetites, he got drunk at a festival and attempted to seduce the Goddess of the Moon. The Jade Emperor banished him to earth, but as he plunged from heaven to earth he ended up in the womb of a sow and was reborn as a man-eating pig monster. He was married to a farmer's daughter, but fights with Sun Wukong and ends up joining and becoming the monk's second disciple. *[Book 8]*

Sha Wujing was once the Curtain Raising Captain but was banished from heaven by the Yellow Emperor for breaking an extremely valuable cup during a drunken visit to the Peach Festival. The travelers meet Sha and he joins them as Tangseng's third and final disciple. The four pilgrims arrive at a beautiful home seeking a simple vegetarian meal and a place to stay for the night. What they encounter instead is a lovely and wealthy widow and her three even more lovely daughters. This meeting is, of course, much more than it appears to be, and it turns into a test of commitment and virtue for all of the pilgrims, especially for the lazy and lustful pig-man Zhu Bajie. *[Book 9]*

Heaven continues to put more obstacles in their path. They arrive at a secluded mountain monastery which turns out to be the home of a powerful master Zhenyuan and an ancient and magical ginseng tree. As usual, the travelers' search for a nice hot meal and a place to sleep quickly turns into a disaster. Zhenyuan has gone away for a few days and has left his two youngest disciples in charge. They welcome the travelers, but soon there are misunderstandings, arguments, battles in the sky, and before long the travelers are facing a powerful and extremely angry adversary, as well as mysterious magic fruits and a large frying pan full of hot oil. *[Book 10]*

Next, Tangseng and his band of disciples come upon a strange pagoda in a mountain forest. Inside they discover the fearsome Yellow Robed Monster who is living a quiet life with his wife and their two children. Unfortunately the monster has a bad habit of ambushing and eating travelers. The travelers find themselves drawn into a story of timeless love and complex lies as they battle for survival against the monster and his allies. *[Book 11]*

The travelers arrive at Level Top Mountain and encounter their most powerful adversaries yet: Great King Golden Horn and his younger brother Great King Silver Horn. These two monsters, assisted by their elderly mother and hundreds of well-armed demons, attempt to capture and liquefy Sun Wukong, and eat the Tang monk and his other disciples. *[Book 12]*

The monk and his disciples resume their journey. They stop to rest at a mountain monastery in Black Rooster Kingdom, and Tangseng is visited in a dream by someone claiming to be the ghost of a murdered king. Is he telling the truth or is he actually a demon in disguise? Sun Wukong offers to sort things out with his iron rod. But things do not go as planned. *[Book 13]*

While traveling the Silk Road, Tangseng and his three disciples encounter a young boy hanging upside down from a tree. They rescue him only to discover that he is really Red Boy, a powerful and malevolent demon and, it turns out, Sun Wukong's nephew. The three disciples battle the demon but soon discover that he can produce deadly fire and smoke which nearly kills Sun Wukong. *[Book 14]*

Leaving Red Boy with the bodhisattva Guanyin, the travelers continue to the wild country west of China. They arrive at a strange city where Daoism is revered and Buddhism is forbidden. Sun Wukong gleefully causes trouble in the city, and finds himself in a series of deadly competitions with three Daoist Immortals. *[Book 15]*

Continuing westward, The Monkey King Sun Wukong leads the Tang monk and his two fellow disciples westward until they come to a village where the people live in fear of the Great Demon King who demands two human sacrifices each year. Sun Wukong and the pig-man Zhu Bajie try to trick the Demon King but soon discover that the Demon King has clever plans of his own. *[Book 16]*

They survive that encounter. Autumn turns to winter and the travelers continue westward...

The Thieves
小偷

Dì 50 Zhāng

Wǒ qīn'ài de háizi, nǐ hái jìdé wǒmen zuótiān wǎnshàng de gùshì ma? Shèng sēng Tángsēng zài wūguī de bèi shàng guò le yìtiáo hěn kuān de hé. Wūguī hái bēizhe héshang de sān gè túdì, hóu wáng Sūn Wùkōng, zhū rén Zhū Bājiè, ānjìng de dà gèzi Shā Wùjìng. Zhè zhī wūguī zài yìtiān lǐ yóu le liùbǎi lǐ, guò le zhè tiáo hé. Dāng tāmen lái dào hé xī àn de shíhòu, Tángsēng xiàng wūguī dàoxiè. Ránhòu tāmen jìxù yánzhe Sīchóu Zhī Lù xiàng xī qiánwǎng Yìndù.

Qiūtiān biànchéng le zǎo dōng. Kāishǐ xià xuě le, tiānqì zhuǎn lěng. Lù biàn dé xiázhǎi. Tā xiàngshàng zhídào shāndǐng. Tángsēng de bái mǎ zǒu dé hěn kùnnán. Zhōngyú, zhè pǐ mǎ zài yě dài bùliǎo Tángsēng le. Tángsēng duì tā de túdì shuō, "Wǒmen dào le yízuò hěn gāo de shān. Wǒ xiǎng wǒmen bùnéng zài jìxù zǒu xiàqù le. Wǒmen yīnggāi zěnme zuò ne?"

Sūn Wùkōng shuō, "Wǒmen jìxù ba. Shīfu, qǐng xiàmǎ. Wǒmen bìxū zǒulù." Jiù zhèyàng, tāmen màn màn de wǎng shàng pá,

第 50 章

我亲爱的孩子，你还记得我们昨天晚上的故事吗？圣僧唐僧在乌龟的背上过了一条很宽的河。乌龟还背着和尚的三个徒弟，猴王孙悟空、猪人猪八戒、安静的大个子沙悟净。这只乌龟在一天里游了六百里，过了这条河。当他们来到河西岸的时候，唐僧向乌龟道谢。然后他们继续沿着丝绸之路向西前往印度。

秋天变成了早冬。开始下雪了，天气转冷。路变得狭窄[1]。它向上直到山顶。唐僧的白马走得很困难。终于，这匹马再也带不了唐僧了。唐僧对他的徒弟说，"我们到了一座很高的山。我想我们不能再继续走下去了。我们应该怎么做呢？"

孙悟空说，"我们继续吧。师父，请下马。我们必须走路。"就这样，他们慢慢地往上爬，

---

[1] 狭窄　　xiázhǎi – narrow

yìzhí dào le shāndǐng. Tāmen kàn le kàn sìzhōu. Zài

tāmen qiánmiàn de xī biān, tāmen kàndào le yízuò gāo

tǎ. Tǎ pángbiān shì yìxiē xiǎo fángzi.

"Túdìmen," Tángsēng shuō, "nǐmen kàn! Wǒmen de

miànqián yǒu dōngxi. Kěnéng shì yízuò sìmiào, yě

kěnéng shì yígè xiǎo cūnzhuāng. Wǒ è le. Wǒmen qù

nàlǐ, yào yìxiē chī de ba."

Sūn Wùkōng yòng tā de zuànshí yǎnjīng kàn le

cūnzhuāng. "Qǐng búyào qù nàlǐ," tā shuō. "Wǒ kàn chū

nàgè dìfāng yǒu wèntí. Kōngqì zhòng yǒu xiéqì. Zhè

búshì yígè hǎo dìfāng."

"Tā yǒu shénme wèntí?" héshang wèn. "Nà lǐ yǒu yízuò

tǎ hé yìxiē fángzi. Zài wǒ kàn lái méi wèntí."

Sūn Wùkōng qīng qīng yíxiào. "Ò, shīfu, nǐ kàn le, dànshì

nǐ kàn bújiàn. Wǒmen zài lǚtú zhōng yǐjīng yù dào le

xǔduō móguǐ. Tāmen kěyǐ yòng mófǎ lái nòng chū tāmen

xiǎng yào de rènhé yàngzi de tǎ hé fángzi. Nǐ zhīdào

gǔrén shuō, 'Lóng kěyǐ shēngchū

一直到了山顶。他们看了看四周。在他们前面的西边，他们看到了一座高塔。塔旁边是一些小房子。

"徒弟们，"唐僧说，"你们看！我们的面前有东西。可能是一座寺庙，也可能是一个小村庄。我饿了。我们去那里，要一些吃的吧。"

孙悟空用他的钻石眼睛看了村庄。"请不要去那里，"他说。"我看出那个地方有问题。空气中有邪²气。这不是一个好地方。"

"它有什么问题？"和尚问。"那里有一座塔和一些房子。在我看来没问题。"

孙悟空轻轻一笑。"哦，师父，你看了，但是你看不见。我们在旅途中已经遇到了许多魔鬼。他们可以用魔法来弄出他们想要的任何样子的塔和房子。你知道古人说，'龙可以生出

---

² 邪　　　xié – something evil in the air

17

jiǔ zhǒng bùtóng de hòudài.' Móguǐ kěyǐ nòng chū zhèxiē dōngxi. Dàng xíngrén zǒu dé tài jìn shí, móguǐ jiù huì chī le tāmen!"

"Hǎo ba. Wǒmen bú qù nàlǐ. Dàn wǒ hěn è. Nǐ néng bùnéng qù bié de dìfāng, gěi wǒmen yào yìxiē chī de dōngxi?"

"Wǒ huì de, shīfu. Dàn zhèlǐ bù ānquán. Ràng wǒ lái bǎohù nǐ." Sūn Wùkōng yòng tā de jīn gū bàng zài dìshàng huà le yígè dà quān. Tā gàosù Tángsēng hé lìngwài liǎng gè túdì, zǒu jìn quān lǐ. Tā bǎ bái mǎ dài jìn quān lǐ. Ránhòu tā ná qǐ xínglǐ, yě bǎ tā fàng jìn le quān lǐ.

"Shīfu, qǐng nǐ liú zài zhège quān lǐ. Tā xiàng shí qiáng yíyàng qiáng. Shénme dōu bùnéng jìnrù zhège quān lǐ. Lǎohǔ jìn bú qù, láng jìn bú qù, yāoguài jìn bú qù, móguǐ jìn bú qù. Zhǐyào nǐ zài zhè lǐmiàn, nǐ jiù huì hěn ānquán. Nǐ rúguǒ zǒuchū zhège quān, wǒ pà huì yǒu shénme dōngxi shā le nǐ, chī le nǐ." Tā tíng le xiàlái. "Tāmen kěnéng hái huì chī le Zhū, Shā hé bái mǎ!"

18

九种不同的后代[3]。’魔鬼可以弄出这些东西。当行人走得太近时，魔鬼就会吃了他们！”

“好吧。我们不去那里。但我很饿。你能不能去别的地方，给我们要一些吃的东西？”

“我会的，师父。但这里不安全。让我来保护你。”孙悟空用他的金箍棒在地上画了一个大圈。他告诉唐僧和另外两个徒弟，走进圈里。他把白马带进圈里。然后他拿起行李，也把它放进了圈里。

“师父，请你留在这个圈里。它像石墙一样强。什么都不能进入这个圈里。老虎进不去，狼进不去，妖怪进不去，魔鬼进不去。只要你在这里面，你就会很安全。你如果走出这个圈，我怕会有什么东西杀了你，吃了你。”他停了下来。“他们可能还会吃了猪、沙和白马！”

---

[3] 后代　　hòudài – offspring

Tángsēng tóngyì le. Tā, Zhū hé Shā zài quān lǐ zuò xià.

"Qǐng búyào líkāi zhège quān!" Sūn Wùkōng yòu shuō yícì. Ránhòu tā yòng tā de jīndǒu yún fēi xiàng tiānkōng. Tā zài duǎn duǎn jǐ fēnzhōng lǐ fēixíng le yìqiān lǐ. Wǎng xià kàn, tā kàndào yígè cūnzhuāng. Cūnzhuāng lǐ yǒu yí zhuàng dà fángzi, sìzhōu shì gāodà de shùmù. Tā lái dào dìshàng, zǒu dào qiánmén, yòng tā de bàng qiāodǎ mùmén.

Jǐ fēnzhōng hòu, yí wèi lǎorén kāi le dàmén. Tā chuānzhe yí jiàn jiù cháng yī, cǎoxié, dàizhe yì dǐng jiù de yángmáo màozi. Yì zhī xiǎo gǒu pǎo chū dàmén, duìzhe Sūn Wùkōng jiào. Nánrén kànzhe tā shuō, "Nǐ xiǎng yào shénme?"

Sūn Wùkōng zài tā miànqián názhe tā de yāofàn wǎn. "Lǎofù, zhège kělián de yóurén, láizì dà Táng de tǔdì. Wǒ hé wǒ de shīfu, hái yǒu lìngwài liǎng gè túdì, yìqǐ qù xītiān. Wǒmen zhèng jīngguò nǐmen de dìfāng. Wǒ de shīfu è le. Wǒ shì lái wèi wǒmen yào yìxiē sùshí de. Nǐ néng gěi wǒmen yìdiǎn mǐfàn ma?"

Nà rén huídá shuō, "Niánqīng rén, nǐ zǒu cuò lù le. Xītiān lí zhèlǐ xiàng běi yǒu yì qiān lǐ lù."

20

唐僧同意了。他、猪和沙在圈里坐下。"请不要离开这个圈！"孙悟空又说一次。然后他用他的筋斗云飞向天空。他在短短几分钟里飞行了一千里。往下看，他看到一个村庄。村庄里有一幢大房子，四周是高大的树木。他来到地上，走到前门，用他的棒敲打木门。

几分钟后，一位老人开了大门。他穿着一件旧长衣，草鞋，戴着一顶旧的羊毛帽子。一只小狗跑出大门，对着孙悟空叫。男人看着他说，"你想要什么？"

孙悟空在他面前拿着他的要饭碗。"老父，这个可怜的游人，来自大唐的土地。我和我的师父，还有另外两个徒弟，一起去西天。我们正经过你们的地方。我的师父饿了。我是来为我们要一些素食的。你能给我们一点米饭吗？"

那人回答说，"年轻人，你走错路了。西天离这里向北有一千里路。"

Sūn Wùkōng xiào dào. "Shì de, lǎofù, nǐ shuō dé duì. Xiànzài wǒ shīfu jiù zuò zài nà tiáo lùshàng, děngzhe wǒ gěi tā dài qù yìxiē shíwù."

"Cóng nàlǐ zǒu dào zhèlǐ zuìshǎo xūyào yígè xīngqí de shíjiān. Nǐ hái xūyào yígè xīngqí cáinéng huí dào tā nàlǐ. Zài nǐ huíqù zhīqián, tā jiù yǐjīng sǐ le."

"Bù, wǒ gānggāng líkāi tā bùjiǔ, hé nǐ hē yìbēi chá de shíjiān chābùduō."

Nà rén hǎn dào, "Guǐ! Guǐ!" Tā yòng tā de guǎizhàng zài Sūn Wùkōng de tóu shàng dǎ le jǐ xià. Sūn Wùkōng jiù zhèyàng zhànzhe bú dòng, guǎizhàng cóng tā tóu shàng tán kāi. Nà rén zhuàn shēn pǎo le jìnqù. Tā guān shàng mén, cóng lǐmiàn suǒ shàng le mén.

Sūn Wùkōng duì tā hǎn dào, "Lǎorén, qǐng jìzhù nǐ dǎ le wǒ duōshǎo cì. Měi yícì nǐ dōu yào gěi wǒ yì wǎn fàn!" Tā děngzhe, dàn lǎorén méiyǒu kāimén. Suǒyǐ Sūn Wùkōng jiù yòng zìjǐ de mófǎ biàn dé kàn bújiàn le. Tā tiào guò dàmén, zǒu jìn chúfáng. Tā kàndào yígè dà guōzi, lǐmiàn fàng mǎn le hǎochī de mǐfàn. Tā zài

孙悟空笑道。"是的，老父，你说得对。现在我师父就坐在那条路上，等着我给他带去一些食物。"

"从那里走到这里最少需要一个星期的时间。你还需要一个星期才能回到他那里。在你回去之前，他就已经死了。"

"不，我刚刚离开他不久，和你喝一杯茶的时间差不多。"

那人喊道，"鬼！鬼！"他用他的拐杖在孙悟空的头上打了几下。孙悟空就这样站着不动，拐杖从他头上弹开。那人转身跑了进去。他关上门，从里面锁上了门。

孙悟空对他喊道，"老人，请记住你打了我多少次。每一次你都要给我一碗饭！"他等着，但老人没有开门。所以孙悟空就用自己的魔法变得看不见了。他跳过大门，走进厨房。他看到一个大锅子，里面放满了好吃的米饭。他在

tā de yàofàn de wǎn lǐ zhuāng mǎn le mǐfàn. Ránhòu tā
zǒu dào wàimiàn, yòng tā de jīndǒu yún, huí dào le
Tángsēng hé lìngwài liǎng gè túdì de shēnbiān.

Xiànzài, jiù zài Sūn Wùkōng búzài de shíhòu, Tángsēng hé
tā de lìngwài liǎng gè túdì zài quān lǐ děngzhe. Tángsēng
yǐjīng fēicháng de è le. Tā duì liǎng gè túdì shuō, "Nà zhī
hóuzi zài nǎlǐ? Tā yǐjīng líkāi hěnjiǔ le."

Zhū shuō, "Shuí zhīdào? Tā kěnéng zhǐshì zài shénme
dìfāng wán. Tā xiǎng ràng wǒmen zài zhèlǐ zuòláo, zhǐshì
wèi le hǎowán."

"Nǐ shénme yìsi, ràng wǒmen zài zhèlǐ zuòláo?"

"Shīfu, nǐ xiǎng xiǎng. Nǐ zhēn de rènwéi dìshàng de yígè
quān jiù kěyǐ dǎngzhù lǎohǔ, láng huò móguǐ ma?
Dāngrán bùnéng. Nà zhī hóuzi bǎ wǒmen fàng zài zhège
quān lǐ lái zhuōnòng wǒmen. Wǒmen yīnggāi kāishǐ
zǒulù. Hóu zǐ huílái hòu, tā hěn róngyì zài lùshàng
zhǎodào wǒmen de."

他的要饭的碗里装[4]满了米饭。然后他走到外面，用他的筋斗云，回到了唐僧和另外两个徒弟的身边。

现在，就在孙悟空不在的时候，唐僧和他的另外两个徒弟在圈里等着。唐僧已经非常的饿了。他对两个徒弟说，"那只猴子在哪里？他已经离开很久了。"

猪说，"谁知道？他可能只是在什么地方玩。他想让我们在这里坐牢[5]，只是为了好玩。"

"你什么意思，让我们在这里坐牢？"

"师父，你想想。你真的认为地上的一个圈就可以挡住老虎、狼或魔鬼吗？当然不能。那只猴子把我们放在这个圈里来捉弄我们。我们应该开始走路。猴子回来后，他很容易在路上找到我们的。"

---

[4] 装　　zhuāng – to fill
[5] 坐牢　　zuòláo – to go to jail

Tángsēng hěn bèn de tóngyì le Zhū. Tāmen zǒuchū le

quān. Tāmen zǒu xià xiázhǎi de xiǎolù, yìzhí zǒu dào tǎ

qián. Tā yǒu yí dào gāo gāo de bái qiáng, qiáng de jiǎoluò

kàn shàngqù xiàng bāzì. Yǒu yí shàn hěn dà de mén,

shàngmiàn diāokèzhe àiqíng niǎo. Dàmén bèi qī chéng

wǔ zhǒng yánsè. Tāmen méiyǒu kàndào rènhé rén.

"Shīfu," Zhū shuō, "wǒ méiyǒu kàndào rènhé rén. Rén

yīnggāi dōu zài lǐmiàn, yòng huǒ lái bǎochí wēnnuǎn. Wǒ

jìnqù kàn kàn."

Tā zǒu jìn le tǎ. Tā zǒuguò sān gè dà fángjiān. Tā lái dào

yígè dàdiàn, yǒu yígè liǎng céng gāo de wūdǐng. Wūdǐng

fùjìn shì kāizhe de chuānghù, huángsè de sīchóu

chuānglián zài fēng zhōng piāodòng. Méiyǒu jiājù. Zhěng

zuò tǎ xiàng sǐ yíyàng de ānjìng. "Rén zài nǎlǐ?" tā xiǎng.

"Tāmen kěnéng xiǎng bǎochí wēnnuǎn, shuì zài tāmen

de chuángshàng."

Zhū jìxù shàng dào le èr lóu. Tā zǒu jìn yígè dà fángjiān.

Fángjiān

唐僧很笨地同意了猪。他们走出了圈。他们走下狭窄的小路，一直走到塔前。它有一道高高的白墙，墙的角落看上去像八字。有一扇很大的门，上面雕刻着爱情鸟[6]。大门被漆成五种颜色。他们没有看到任何人。

"师父，"猪说，"我没有看到任何人。人应该都在里面，用火来保持[7]温暖。我进去看看。"

他走进了塔。他走过三个大房间。他来到一个大殿，有一个两层高的屋顶。屋顶附近是开着的窗户，黄色的丝绸窗帘[8]在风中飘动。没有家具[9]。整座塔像死一样的安静。"人在哪里？"他想。"他们可能想保持温暖，睡在他们的床上。"

猪继续上到了二楼。他走进一个大房间。房间

---

[6] 爱情鸟 àiqíng niǎo – lovebirds
[7] 保持　　bǎochí – to remain
[8] 窗帘　　chuānglián – curtain
[9] 家具　　jiājù – furniture

zhōngjiān yǒu yì zhāng dà chuáng. Chuángshàng yǒu yígè hěn dà de báisè kūlóu. Kūlóu de tóugǔ yǒu guànzi nàme dà. Tuǐ yǒu sì, wǔ chǐ cháng.

Tā duì kūlóu shuō, "Wǒ xiǎng zhīdào nǐ shì shuí. Nǐ kěnéng shì yí wèi wěidà de dàjiàng. Xiànzài wǒmen kàn dào de zhǐyǒu nǐ de gǔtóu. Nǐ méiyǒu jiārén hé nǐ zài yìqǐ, nǐ méiyǒu shìbīng wèi nǐ shāoxiāng. Guòqù de wěirén, xiànzài zhǐshì yí fù kūlóu!"

Chuáng hòumiàn shì sī chuānglián. Zhū kàndào chuānglián hòumiàn yǒu guāng. Tā zǒu dào chuānglián hòumiàn. Tā kàndào guāng shì cóng yí shàn kāizhe de chuānghù lǐ jìnlái de. Yǒu yì zhāng ǎi zhuō. Zhuōzi shàng yǒu sān jiàn piàoliang de xiùhuā sī bèixīn. Zhū shénme dōu méiyǒu xiǎng, jiù náqǐ le sān jiàn bèixīn. Tā zǒu dào wàimiàn qù hé Tángsēng shuōhuà.

"Shīfu," tā shuō, "kàn kàn wǒ fāxiàn le shénme." Ránhòu tā bǎ fángjiān, kūlóu, chuānglián hé bèixīn de shì gàosù le Tángsēng. "Fángzi lǐ méiyǒu rén, suǒyǐ wǒ ná le zhèxiē bèixīn.

中间有一张大床。床上有一个很大的白色骷髅[10]。骷髅的头骨有罐子[11]那么大。腿有四、五尺长。

他对骷髅说，"我想知道你是谁。你可能是一位伟大的大将。现在我们看到的只有你的骨头。你没有家人和你在一起，你没有士兵为你烧香。过去的伟人，现在只是一副[12]骷髅！"

床后面是丝窗帘。<u>猪</u>看到窗帘后面有光。他走到窗帘后面。他看到光是从一扇开着的窗户里进来的。有一张矮桌。桌子上有三件漂亮的绣花丝背心[13]。<u>猪</u>什么都没有想，就拿起了三件背心。他走到外面去和<u>唐僧</u>说话。

"师父，"他说，"看看我发现了什么。"然后他把房间、骷髅、窗帘和背心的事告诉了<u>唐僧</u>。"房子里没有人，所以我拿了这些背心。

---

[10] 骷髅　kūlóu – skeleton
[11] 罐子　guànzi – jar
[12] 副　fù – (measure word for a pair of complementary objects)
[13] 背心　bèixīn – vest

Qǐng chuān shàng yí jiàn, tā huì ràng nǐ wēnnuǎn."

"Bù bù bù!" Tángsēng hǎn dào. "Rúguǒ nǐ ná dōngxi, nǐ jiùshì xiǎotōu. Yǒu méiyǒu rén kàndào nǐ bú zhòng yào. Kěnéng méiyǒu rén zhīdào, dànshì tiān huì zhīdào. Zhèng xiàng Xuándì shuō de, 'shén yǎn xiàng shǎndiàn.' Kuài bǎ tāmen fàng huíqù!"

Zhū dāngrán bù tīng. Tā chuān shàng bèixīn. Ránhòu tā bǎ yí jiàn bèixīn gěi le Shā, Shā yě chuān shàng le bèixīn. Tángsēng kànzhe, dàn méi shuōhuà. Dànshì, jǐ miǎo zhōng hòu, bèixīn biàn dé fēicháng jǐn. Zhū hé Shā de shǒubì bùnéng dòng le. Tāmen jīhū méiyǒu bànfǎ hūxī. Tángsēng xiǎng bǎ bèixīn cóng tāmen de shēnshàng tuō xiàlái, kěshì tuō bú xiàlái.

Ránhòu qíngkuàng biàn dé gèng huài. Fùjìn de shāndòng lǐ zhùzhe yígè yāoguài, tā yòng zhè zuò tǎ lái piàn ránhòu zhuā zhù hěn bèn de yóurén. Zhū hé Shā gāng chuān shàng bèixīn, tǎ jiù xiāoshī le. Yāoguài gàosù tā de xiǎo móguǐ qù zhuā zhù sān gè xíngrén, hái yǒu mǎ hé xínglǐ. Xiǎo mó

请穿上一件，它会让你温暖。"

"不不不！"唐僧喊道。"如果你拿东西，你就是小偷。有没有人看到你不重要。可能没有人知道，但是天会知道。正像玄帝[14]说的，'神眼像闪电。'快把它们放回去！"

猪当然不听。他穿上背心。然后他把一件背心给了沙，沙也穿上了背心。唐僧看着，但没说话。但是，几秒钟后，背心变得非常紧。猪和沙的手臂不能动了。他们几乎没有办法呼吸。唐僧想把背心从他们的身上脱下来，可是脱不下来。

然后情况变得更坏。附近的山洞里住着一个妖怪，他用这座塔来骗然后抓住很笨的游人。猪和沙刚穿上背心，塔就消失[15]了。妖怪告诉他的小魔鬼去抓住三个行人，还有马和行李。小魔

---

[14] Xuandi, the eighth emperor of the Han Dynasty, ruled for 26 years and was known as a wise ruler who brought peace and prosperity to his kingdom.

[15] 消失　xiāoshī – to disappear

guǐ bǎ tāmen sān rén dài dào le yāoguài de dòng.

Xiǎo móguǐ bǎ Tángsēng tuīdǎo, guì zài yāoguài miànqián. "Nǐ shì shuí, nǐ cóng nǎlǐ lái?" tā hǎn dào. "Nǐ wèishénme yào ná wǒ de dōngxi?"

Tángsēng kū dào, "Zhège kělián de héshang, shì bèi Táng huángdì sòng wǎng xītiān, dài huí fózǔ de shèng shū. Wǒmen zài yízuò gāoshān shàng xíngzǒu. Wǒ è le, jiù jiào wǒ de dà túdì qù yào xiē shíwù. Tā ràng wǒmen děng tā, dàn hěn bèn de wǒmen yòu kāishǐ zǒulù le. Ránhòu wǒ de lìngwài liǎng gè túdì kàndào le nǐ de bèixīn, jiù bǎ tāmen ná zǒu le, yīnwèi tāmen hěn lěng. Wǒ ràng tāmen bǎ bèixīn fàng huíqù, dàn tāmen bù tīng wǒ de. Qǐng duì wǒmen réncí yìdiǎn, ràng wǒmen zǒu ba, zhèyàng wǒmen jiù kěyǐ jìxù wǒmen de xīyóu. Wǒ huì yìzhí gǎnxiè nǐ de."

Yāoguài zhǐshì xiào xiào. "Nǐ zhēn de yǐwéi wǒ huì fàng nǐ zǒu ma? Wǒ tīng shuōguò nǐ, Táng sēng. Wǒ tīngshuō zhǐyào chī le yì diǎndiǎn nǐ de ròu, bái tóufà huì biàn hēi, diào le de yá huì zài zhǎng chūlái, tāmen yòu huì biàn dé niánqīng. Wǒmen hěn kuài jiù huì zhīdào de!" Ránhòu tā ràng tā de xiǎo móguǐ bǎ sān gè xíngrén dōu bǎng qǐlái,

鬼把他们三人带到了妖怪的洞。

小魔鬼把<u>唐僧</u>推倒，跪在妖怪面前。"你是谁，你从哪里来？"他喊道。"你为什么要拿我的东西？"

<u>唐僧</u>哭道，"这个可怜的和尚，是被<u>唐</u>皇帝送往西天，带回佛祖的圣书。我们在一座高山上行走。我饿了，就叫我的大徒弟去要些食物。他让我们等他，但很笨的我们又开始走路了。然后我的另外两个徒弟看到了你的背心，就把它们拿走了，因为他们很冷。我让他们把背心放回去，但他们不听我的。请对我们仁慈一点，让我们走吧，这样我们就可以继续我们的西游。我会一直感谢你的。"

妖怪只是笑笑。"你真的以为我会放你走吗？我听说过你，<u>唐僧</u>。我听说只要吃了一点点你的肉，白头发会变黑，掉了的牙会再长出来，他们又会变得年轻。我们很快就会知道的！"然后他让他的小魔鬼把三个行人都绑起来，

mólì tāmen de wǔqì, zhǔnbèi hé dì sì gè xíngrén Sūn Wùkōng jiànmiàn.

Dāngrán, búshì zhǐyǒu Zhū hé Shā shì xiǎotōu. Sūn Wùkōng yěshì yígè xiǎotōu. Tā zài yàofàn wǎn lǐ zhuāng le mǎn mǎn yì wǎn cóng lǎorén nàlǐ ná lái de fàn. Tā yì zhī shǒu názhe fànwǎn, yòng tā de jīndǒu yún huí dào le tā líkāi qítā xíngrén de dìfāng. Tā kàndào dìshàng de quān, dànshì nàlǐ shì kōng de. Xíngrénmen búzài nàlǐ.

Sūn Wùkōng kāishǐ xiàng lù de xī biān pǎo qù. Pǎo le wǔ, liù lǐ lù yǐhòu, tā tīngdào yígè shēngyīn, tíng le xiàlái. Kàn le sìzhōu, tā kàndào yígè lǎorén hé yígè niánqīng de púrén. "Yéye," Sūn Wùkōng shuō, "kělián de héshang xiàng nǐ wènhǎo. Wǒ hé wǒ shīfu, hái yǒu lìngwài liǎng gè túdì yìqǐ xīyóu. Wǒ de shīfu è le, suǒyǐ wǒ qù gěi tā zhǎo yìxiē shíwù. Dāng wǒ huílái shí, tāmen yǐjīng zǒu le. Nǐ jiànguò tāmen ma?"

Lǎorén huídá shuō, "Shì búshì yǒu yígè xíng rén zhǎngzhe cháng bízi hé dà ěrduo? Shì búshì hái yǒu yígè yòu gāo yòu yǒudiǎn chǒu de xíng

磨砺[16]他们的武器，准备和第四个行人孙悟空见面。

当然，不是只有猪和沙是小偷。孙悟空也是一个小偷。他在要饭碗里装了满满一碗从老人那里拿来的饭。他一只手拿着饭碗，用他的筋斗云回到了他离开其他行人的地方。他看到地上的圈，但是那里是空的。行人们不在那里。

孙悟空开始向路的西边跑去。跑了五、六里路以后，他听到一个声音，停了下来。看了四周，他看到一个老人和一个年轻的仆人。"爷爷，"孙悟空说，"可怜的和尚向你问好。我和我师父，还有另外两个徒弟一起西游。我的师父饿了，所以我去给他找一些食物。当我回来时，他们已经走了。你见过他们吗？"

老人回答说，"是不是有一个行人长着长鼻子和大耳朵？是不是还有一个又高又有点丑的行

---

[16] 磨砺　mólì – to sharpen

rén? Shì búshì yǒu yígè pífū hěn bái de ǎi pàng nánrén?"

"Duì duì duì!" Sūn Wùkōng jiào dào. "Pífū hěn bái de
nánrén shì wǒ de shīfu. Lìngwài liǎng gè shì wǒ de dìdi.
Tāmen zài nǎlǐ?"

"Wàngjì tāmen ba, wèi le nǐ de shēngmìng, kuài táo ba!"
lǎorén shuō. "Wǒ kàndào tāmen zǒu shàng le yìtiáo
qùxiàng qiángdà móguǐ dòng de lù. Zhè zuò shān shì Jīn
Shān. Tā yǒu yígè dòng, jiào Jīn dòng. Zhù zài dòng lǐ de
shì Dà Shuǐniú Wáng. Rúguǒ yù dào tā, nǐ kěnéng huì bèi
shā sǐ."

Sūn Wùkōng xiè le lǎorén, xiàng tā kòutóu. Tā zhèng yào
bǎ yàofàn wǎn lǐ de fàn gěi lǎorén. Dàn ránhòu lǎorén hé
púrén jiù biàn huí le tāmen běnlái de yàngzi. Liǎng rén
xiàng Sūn Wùkōng kòutóu. "Wǒmen shì zhège dìfāng de
shānshén hé tǔdì shén. Wǒmen bāng nǐ názhe wǎn hé
mǐfàn. Qǐng yòng nǐ suǒyǒu de lìliàng qù hé Dà Shuǐniú
Wáng zhàndòu."

Sūn Wùkōng duì zhè hěn bù gāoxìng. "Nǐmen zhèxiē bèn
guǐ, nǐmen yīnggāi zǎodiǎn lái, zài zhè yāoguài zhuā dào
wǒ shīfu zhīqián, gàosù

人？是不是有一个皮肤[17]很白的矮胖男人？"

"对对对！"孙悟空叫道。"皮肤很白的男人是我的师父。另外两个是我的弟弟。他们在哪里？"

"忘记他们吧，为了你的生命，快逃吧！"老人说。"我看到他们走上了一条去向强大魔鬼洞的路。这座山是金山。它有一个洞，叫金洞。住在洞里的是大水牛王。如果遇到他，你可能会被杀死。"

孙悟空谢了老人，向他叩头。他正要把要饭碗里的饭给老人。但然后老人和仆人就变回了他们本来的样子。两人向孙悟空叩头。"我们是这个地方的山神和土地神。我们帮你拿着碗和米饭。请用你所有的力量去和大水牛王战斗。"

孙悟空对这很不高兴。"你们这些笨鬼，你们应该早点来，在这妖怪抓到我师父之前，告诉

---

[17] 皮肤   pífū – human skin

wǒ zhège wéixiǎn. Xiànzài shìqing biàn dé gèng kùnnán
le. Wǒ yīnggāi yòng wǒ de bàng dǎ nǐmen. Dàn xiànzài,
názhe wǒ de mǐfàn. Wǒ mǎshàng huílái."

Tā bǎ fànwǎn gěi le shānshén, pǎo dào le dòngkǒu. Tā
hǎn dào, "Xiǎo móguǐ, gàosù nǐmen de shīfu, Qí Tiān Dà
Shèng lái le! Ràng tā bǎ wǒ shīfu sòng chūlái, bú nàyàng
zuò, tā jiù huì fùchū tā de shēngmìng!"

Xiǎo móguǐ gàosù Dà Shuǐniú Wáng, dòngkǒu yǒu yì zhī
chǒu hóu. "Ó, hǎo de, yídìng shì Sūn Wùkōng," yāoguài
shuō. "Háizimen, bǎ wǒ de chángqiāng ná lái!" Xiǎo
móguǐ gěi tā ná lái le yì bǎ shí'èr chǐ gāng chángqiāng.

Yāoguài cóng shāndòng lǐ chūlái. Tā kàn qǐlái xiàng yígè
fēicháng dà de shuǐniú rén. Yì zhī dàjiǎo zhǎng zài tā de
tóu shàng. Tā pífū hěn hēi, dà zuǐ, huáng yá, cháng cháng
de shétou yǒushí huì tiǎn tā de dà bízi. Tā yòng tā yǒulì
de dàshǒu wòzhe gāng chángqiāng. "Zhè zhǐ

我这个危险。现在事情变得更困难了。我应该
用我的棒打你们。但现在，拿着我的米饭。我
马上回来。"

他把饭碗给了山神，跑到了洞口。他喊道，
"小魔鬼，告诉你们的师父，齐天大圣来了！
让他把我师父送出来，不那样做，他就会付[18]出
他的生命！"

小魔鬼告诉大水牛王，洞口有一只丑猴。
"哦，好的，一定是孙悟空，"妖怪说。"孩
子们，把我的长枪[19]拿来！"小魔鬼给他拿来了
一把十二尺钢长枪。

妖怪从山洞里出来。他看起来像一个非常大的
水牛[20]人。一只大角长在他的头上。他皮肤很
黑，大嘴，黄牙，长长的舌头有时会舔他的大
鼻子。他用他有力的大手握着钢长枪。"这只

---

[18] 付　　fù – to pay
[19] 长枪　chángqiāng – lance
[20] 水牛　shuǐniú – buffalo

bèn hóuzi zài nǎlǐ?" tā jiàozhe.

Sūn Wùkōng zhí zhí de zǒu dào tā miànqián, shuō, "Nǐ de Sūn yéye zài zhèlǐ. Kuài bǎ wǒ de shīfu gěi wǒ. Rúguǒ nǐ shuō bàn gè 'bù' zì, nǐ jiù huì sǐ dé fēicháng de kuài, ràng nǐ dōu méiyǒu shíjiān shuō nǐ de fénmù yīnggāi zài nǎlǐ."

"Nǐ de shīfu shì ge xiǎotōu. Wǒ bú huì bǎ tā gěi nǐ de. Tā yīnggāi bèi shā sǐ, bèi chī diào."

"Nǐ zěnme néng shuō wǒ shīfu shì xiǎotōu? Tā shì shèng sēng, yídìng bú huì tōu dōngxi!"

"Ò, shì de, tā yídìng jiùshì ge xiǎotōu. Yǒu zhèngrén. Tā shì ge yǒuzuì de, hěn kuài tā jiù huì chéngwéi wǒ de wǎnfàn."

Liǎng rén duì mà le yīhuǐ'er, jiù bú zài shuōhuà, kāishǐ dǎ le qǐlái. Hóu wáng yòng tā de jīn gū bàng, yāoguài yòng tā de gāng chángqiāng. Tāmen dǎ le sānshí gè láihuí, dàn méiyǒu rén néng yíng. Yāoguài duì Sūn Wùkōng de zhàndòu nénglì gǎndào chījīng, shuō, "Shénqí de hú

笨猴子在哪里？"他叫着。

<u>孙悟空</u>直直地走到他面前，说，"你的<u>孙</u>爷爷在这里。快把我的师父给我。如果你说半个'不'字，你就会死得非常的快，让你都没有时间说你的坟墓[21]应该在哪里。"

"你的师父是个小偷。我不会把他给你的。他应该被杀死，被吃掉。"

"你怎么能说我师父是小偷？他是圣僧，一定不会偷东西！"

"哦，是的，他一定就是个小偷。有证人。他是个有罪的，很快他就会成为我的晚饭。"

两人对骂了一会儿，就不再说话，开始打了起来。猴王用他的金箍棒，妖怪用他的钢长枪。他们打了三十个来回，但没有人能赢。妖怪对<u>孙悟空</u>的战斗能力[22]感到吃惊，说，"神奇的猢

---

[21] 坟墓　fénmù – grave
[22] 能力　nénglì – an ability other than intellectual ability

sūn! Shénqí de húsūn! Xiànzài wǒ zhīdào le nǐ shì zěnme zài tiānshàng zhǎo le zhème dà de máfan!" Sūn Wùkōng duì zhè yāoguài de zhàndòu nénglì gǎndào chījīng, shuō, "Lìhài de shén! Lìhài de shén! Zhè yāoguài zhīdào zěnme yòng tā de chángqiāng!" Jiù zhèyàng, tāmen yòu dǎ le èrshí gè láihuí.

Zhōngyú, yāoguài dà hǎn, "Gōngjī!" Tā suǒyǒu de xiǎo móguǐ dōu chōng shàngqù gōngjī Sūn Wùkōng. "Ó, tài hǎo le!" Sūn Wùkōng jiào dào. Tā bǎ jīn gū bàng rēng xiàng kōngzhōng, dà hǎn, "Biàn!" Nà bàng mǎshàng biànchéng le yìqiān gēn xiǎo bàng. Xiǎo bàng xiàng yǔ yíyàng xiàlái, diào dào le xiǎo móguǐ de tóu shàng. Tāmen zhèxiē xiǎo móguǐ hàipà jí le. Tāmen bǎohùzhe tóu pǎo huí le shāndòng.

Yāoguài xiàozhe hǎn dào, "Kàn wǒ de xiǎo mófǎ!" Tā cóng xiùzi lǐ ná chū yì gè bái quān, bǎ tā rēng xiàng kōngzhōng, dà jiào yìshēng, "Jī zhòng!" Suǒyǒu de tiě bàng yòu biàn huí dào yì gēn bàng. Nà gēn bàng bèi quān xī le qǐlái. Tā xiāoshī bùjiàn le.

Sūn Wùkōng méi le wǔqì. Tā hěn kuài de yòng tā de jīndǒu yún fēi zǒu le, miǎnqiáng táo le chūqù.

42

狲！神奇的猢狲！现在我知道了你是怎么在天上找了这么大的麻烦！”孙悟空对这妖怪的战斗能力感到吃惊，说，“厉害的神！厉害的神！这妖怪知道怎么用他的长枪！”就这样，他们又打了二十个来回。

终于，妖怪大喊，“攻击！”他所有的小魔鬼都冲上去攻击孙悟空。“哦，太好了！”孙悟空叫道。他把金箍棒扔向空中，大喊，“变！”那棒马上变成了一千根小棒。小棒像雨一样下来，掉到了小魔鬼的头上。他们这些小魔鬼害怕极了。他们保护着头跑回了山洞。

妖怪笑着喊道，“看我的小魔法！”他从袖子里拿出一个白圈，把它扔向空中，大叫一声，“击中[23]！”所有的铁棒又变回到一根棒。那根棒被圈吸了起来。它消失不见了。

孙悟空没了武器。他很快地用他的筋斗云飞走了，勉强[24]逃了出去。

---

[23] 击中 jí zhòng – to hit a target
[24] 勉强 miǎnqiáng – barely

Dì 51 Zhāng

Sūn Wùkōng fēi dào le shān lìng yìbiān ānquán de dìfāng. Tā zuò xiàlái kū le qǐlái. Tā diū le tā zuì bǎobèi de jīn gū bàng. Xiànzài tā shǒu lǐ shì kōngkōng de. Tā méiyǒu wǔqì. Tā de shīfu hé tā de liǎng gè dìdi bèi guān zài yāoguài de dòng lǐ. Tā bù zhīdào tā yīnggāi zuò shénme.

Ránhòu tā xiǎngdào le shénme. "Nàge yāoguài rènshí wǒ!" tā xiǎng. "Wǒmen zhàndòu de shíhòu, tā shuō, 'Xiànzài wǒ zhīdào nǐ shì zěnme zài tiāngōng lǐ zhǎo le nàyàng de máfan!' Wǒ méiyǒu gàosù tā. Suǒyǐ tā yídìng shì cóng hěnjiǔ yǐqián wǒ zài tiāngōng zhǎo máfan de shíhòu jiù rènshí wǒ de. Tā yídìng shì yígè shén huò yì kē xīng, yīnwèi duì zhège shìjiè de xiàngwǎng, xiǎng yào shēnghuó zài dìqiú shàng. Wǒ xiǎng zhīdào tā shì shuí, tā láizì nǎlǐ. Wǒ bìxū qù tiāngōng zhǎo chū zhèxiē."

Tā yòng tā de jīndǒu yún, hěn kuài jiù dào le Nán Tiānmén. Yì míng shì

第 51 章

<u>孙悟空</u>飞到了山另一边安全的地方。他坐下来哭了起来。他丢了他最宝贝的金箍棒。现在他手里是空空的。他没有武器。他的师父和他的两个弟弟被关在妖怪的洞里。他不知道他应该做什么。

然后他想到了什么。"那个妖怪认识我！"他想。"我们战斗的时候，他说，'现在我知道你是怎么在天宫里找了那样的麻烦！'我没有告诉他。所以他一定是从很久以前我在天宫找麻烦的时候就认识我的。他一定是一个神或一颗星，因为对这个世界的向往[25]，想要生活在地球上。我想知道他是谁，他来自哪里。我必须去天宫找出这些。"

他用他的筋斗云，很快就到了<u>南天</u>门。一名侍

---

[25] 向往　xiàngwǎng – to long for

wèi xiàng tā jūgōng, wèn, "Dà shèng yào qù nǎlǐ?"

"Wǒ yídìng yào jiàn Yùhuáng Dàdì," Sūn Wùkōng huídá.

Sì wèi dàchén dào le, xiàng Sūn Wùkōng jūgōng, qǐng tā
yìqǐ hē chá. "Nǐ hé Tángsēng jiéshù xīyóu le ma?" yí wèi
dàchén wèn.

"Méiyǒu," lǎo hóuzǐ huídá. "Wǒmen lí xītiān yíbàn de lù
dōu hái méiyǒu dào. Wǒmen de lǚtú huā le hěn cháng
shíjiān, yīnwèi wǒmen zài lùshàng yù dào le suǒyǒu de
móguǐ hé yāoguài. Zuótiān wǒmen dào le Jīn Shān. Yígè
fēicháng wéixiǎn de yāoguài zhù zài nàlǐ. Tā zhuā le
Tángsēng. Wǒ hé tā dǎ. Tā hěn qiángdà, tā néng ná zǒu
wǒ de jīn gū bàng. Wǒ xiǎng tā kěnéng shì yígè tiānshàng
de shén, yīnwèi duì zhège shìjiè de xiàngwǎng, tā lái dào
rénjiān. Wǒ xūyào zhīdào tā shì shuí, tā láizì nǎlǐ, wǒ
yīnggāi zěnme hé tā zhàndòu. Wǒ yídìng yào hé Yùhuáng
Dàdì tán tán, wèn tā wèishénme bùnéng zài tā de
kòngzhì xià kàn zhù tā de rén!"

Dàchén xiàozhe shuō, "Wǒ kàn nǐ hái zài tiānshàng zhǎo
máfan. Hǎo,

卫向他鞠躬，问，"大圣要去哪里？"

"我一定要见玉皇大帝，"孙悟空回答。

四位大臣到了，向孙悟空鞠躬，请他一起喝茶。"你和唐僧结束西游了吗？"一位大臣问。

"没有，"老猴子回答。"我们离西天一半的路都还没有到。我们的旅途花了很长时间，因为我们在路上遇到了所有的魔鬼和妖怪。昨天我们到了金山。一个非常危险的妖怪住在那里。他抓了唐僧。我和他打。他很强大，他能拿走我的金箍棒。我想他可能是一个天上的神，因为对这个世界的向往，他来到人间。我需要知道他是谁，他来自哪里，我应该怎么和他战斗。我一定要和玉皇大帝谈谈，问他为什么不能在他的控制[26]下看住他的人！"

大臣笑着说，"我看你还在天上找麻烦。好，

---

[26] 控制　kòngzhì – control

wǒ qù gàosù Yùhuáng Dàdì, nǐ xiǎng jiàn tā."

Bù yīhuǐ'er, dàchén huílái le, dàizhe Sūn Wùkōng lái dào le Yùhuáng Dàdì de bǎozuò fángjiān. Sūn Wùkōng jūgōng shuō, "Bìxià, xièxiè nín lái jiàn wǒ. Jǐ nián lái, wǒ yìzhí hé Tángsēng yìqǐ xīyóu, qù dài huí fózǔ de shū. Yīnwèi wǒmen yù dào le suǒyǒu de yāoguài, móguǐ hé huāngyě dòngwù, zhè shì yígè fēicháng màn de lǚtú. Xiànzài, zài Jīn Shān de Jīn Dòng lǐ, yì zhī shuǐniú yāoguài zhuā le Tángsēng. Bù zhīdào wǒ shīfu huì bú huì bèi zhēng, bèi chǎo, huò bèi kǎo. Zhège yāoguài hěn qiángdà. Hái yǒu, zhège yāoguài rènshí wǒ, dàn wǒ bú rènshí tā. Wǒ juédé zhège yāoguài zhēn de shì tiānshàng lái de èmó xīng, yīnwèi duì zhège shìjiè de xiàngwǎng, líkāi le tiāngōng. Bìxià, zhǐyǒu nín néng bāngzhù wǒ de shīfu. Qǐng bāngzhù wǒ zhīdào tā de míngzì, ràng shìbīng qù zhuā zhù tā. Lǎo hóuzi hàipà dé fādǒu de qiú nín."

Yí wèi dàchén zhèng zhàn zài fùjìn. Tā xiàozhe shuō, "Wùkōng, nǐ jīngcháng zài tiān shàng zhǎo máfan. Nǐ jīntiān zěnme zhème hàipà?"

Sūn Wùkōng shuō, "Wǒ xiànzài shì yì zhī méiyǒu bàng kěyǐ wán de hóuzi."

我去告诉玉皇大帝，你想见他。"

不一会儿，大臣回来了，带着孙悟空来到了玉皇大帝的宝座房间。孙悟空鞠躬说，"陛下，谢谢您来见我。几年来，我一直和唐僧一起西游，去带回佛祖的书。因为我们遇到了所有的妖怪、魔鬼和荒野动物，这是一个非常慢的旅途。现在，在金山的金洞里，一只水牛妖怪抓了唐僧。不知道我师父会不会被蒸、被炒、或被烤。这个妖怪很强大。还有，这个妖怪认识我，但我不认识他。我觉得这个妖怪真的是天上来的恶魔星，因为对这个世界的向往，离开了天宫。陛下，只有您能帮助我的师父。请帮助我知道他的名字，让士兵去抓住他。老猴子害怕得发抖地求您。"

一位大臣正站在附近。他笑着说，"悟空，你经常在天上找麻烦。你今天怎么这么害怕？"

孙悟空说，"我现在是一只没有棒可以玩的猴子。"

Yùhuáng Dàdì duì Kěhán Jūn shuō, "Kěhán, zhè zhī hóuzi xiàng wǒmen qiú bāngzhù. Zhè shì wǒ de fǎlìng. Hé Wùkōng yìqǐ qù, liǎojiě yíxià zhège èmó xīng de míngzì. Qù suǒyǒu de tiāngōng zhǎo, wèn suǒyǒu de xīngxīng hé xíngxīng. Kàn kàn shì búshì yǒurén yīnwèi duì shìjiè de xiàngwǎng, líkāi le zhèxiē dìfāng. Jiéshù hòu lái xiàng wǒ bàogào."

Kěhán Jūn hé Sūn Wùkōng líkāi le gōngdiàn, kāishǐ zhǎo rén. Tāmen hé suǒyǒu dàchén tánhuà. Ránhòu tāmen hé suǒyǒu de shénxiān tán huà. Ránhòu tāmen hé suǒyǒu de xīngxīng, xíngxīng tánhuà. Ránhòu tāmen hé léishén hé léidiàn shén tánhuà. Ránhòu tāmen zài sānshísān gè tiāngōng lǐ zhǎo. Zuìhòu tāmen zài yuèliang de èrshíbāxiù lǐ zhǎo. Suǒyǒu rén dōu zài tāmen yīnggāi zài de dìfāng.

Sūn Wùkōng duì Kěhán Jūn shuō, "Xièxiè Kěhán Jūn. Lǎo hóuzi búyòng zài huí gōngdiàn máfan Yùhuáng Dàdì le. Qǐng qùxiàng huángdì bàogào. Wǒ huì zài zhèlǐ děngzhe."

玉皇大帝对可韩君[27]说，"可韩，这只猴子向我们求帮助。这是我的法令[28]。和悟空一起去，了解一下这个恶魔星的名字。去所有的天宫找，问所有的星星和行星[29]。看看是不是有人因为对世界的向往，离开了这些地方。结束后来向我报告[30]。"

可韩君和孙悟空离开了宫殿，开始找人。他们和所有大臣谈话。然后他们和所有的神仙谈话。然后他们和所有的星星、行星谈话。然后他们和雷神和雷电神谈话。然后他们在三十三个天宫里找。最后他们在月亮的二十八宿里找。所有人都在他们应该在的地方。

孙悟空对可韩君说，"谢谢可韩君。老猴子不用再回宫殿麻烦玉皇大帝了。请去向皇帝报告。我会在这里等着。"

---

[27] Lord Kehan was one of the nine monarchs in the Shenxiao School of Daoism during the Southern Song dynasty (1127-1279 AD).
[28] 法令　　fǎlìng – decree
[29] 行星　　xíngxīng – planet
[30] 报告　　bàogào – report

Kěhán Jūn xiàng Yùhuáng Dàdì bàogào shuō, "Bìxià, wǒmen yǐjīng qù le nín tiāngōng de sì gè jiǎoluò. Měi kē xīngxīng, měi kē xíngxīng hé měi gè shén dōu zài tāmen yīnggāi zài de dìfāng. Méiyǒu rén yīnwèi duì zhège shìjiè de xiàngwǎng, líkāi tiāngōng."

Yùhuáng Dàdì shuō, "Zhè shì wǒ de fǎlìng. Ràng Wùkōng cóng tiānshàng xuǎn jǐ gè zhànshì, bāngzhù tā zhuā zài xiàmiàn shìjiè de nàge móguǐ." Kěhán Jūn huí dào Sūn Wùkōng shēnbiān, bǎ huángdì de fǎlìng gàosù le tā.

Sūn Wùkōng ānjìng le jǐ fēnzhōng. Tā xīnlǐ xiǎng, "Tiānshàng de zhànshì hěnduō, dàn dàduō dōu méiyǒu wǒ qiáng. Wǒ wèishénme yào cóng tāmen nàlǐ dédào bāngzhù? Dàn lìng yì fāngmiàn, wǒ yě bùnéng wéikàng Yùhuáng Dàdì de fǎlìng!"

Kěhán Jūn míngbái Sūn Wùkōng wèishénme bù shuōhuà. Tā shuō, "Wùkōng, nǐ bùkě wéikàng huángdì de fǎlìng! Qǐng cóng tiānshàng xuǎn jǐ wèi zhànshì lái bāngzhù nǐ."

Sūn Wùkōng xiǎng le xiǎng, shuō, "Hǎo ba. Wǒ yào Lǐ Tiānwáng hé tā

可韩君向玉皇大帝报告说，"陛下，我们已经去了您天宫的四个角落。每颗星星、每颗行星和每个神都在他们应该在的地方。没有人因为对这个世界的向往，离开天宫。"

玉皇大帝说，"这是我的法令。让悟空从天上选几个战士，帮助他抓在下面世界的那个魔鬼。"可韩君回到孙悟空身边，把皇帝的法令告诉了他。

孙悟空安静了几分钟。他心里想，"天上的战士很多，但大多都没有我强。我为什么要从他们那里得到帮助？但另一方面，我也不能违抗[31]玉皇大帝的法令！"

可韩君明白孙悟空为什么不说话。他说，"悟空，你不可违抗皇帝的法令！请从天上选几位战士来帮助你。"

孙悟空想了想，说，"好吧。我要李天王和他

---

[31] 违抗　wéikàng – to defy

de érzi Nǎzhā Tàizǐ. Tāmen dōu shì wěidà de zhànshì. Wǒ yào tāmen dàizhe tiānbīng jūnduì. Hái yǒu, wǒ yào liǎng gè léishén. Tāmen yào zài gāo gāo de yún shàng kànzhe zhàndòu, xiàng yāoguài rēng léidiàn, shā sǐ tā."

Kěhán Jūn jiào lái le Lǐ Tiānwáng, Nǎzhā Tàizǐ, liǎng gè léishén hé tiānbīng jūnduì. Tāmen dōu jiàn le Sūn Wùkōng. Tāmen yìqǐ chū le Nán Tiānmén, huí dào le Jīn Shān. Dāng tāmen lái dào jīn Dòng de shíhòu, Lǐ duì Sūn Wùkōng shuō, "Qǐng ràng wǒ érzi kāishǐ dǎ ba. Tā shì tiāngōng zhōng zuì wěidà de zhànshì."

Sūn Wùkōng hé Nǎzhā Tàizǐ zhàn zài dòng mén wài. Sūn Wùkōng hǎn dào, "Èmó, dǎkāi zhè shàn mén, fàng wǒ shīfu zǒu!" Xiǎo móguǐ pǎo qù gàosù tāmen de shīfu. Móguǐ zǒu le chūlái, shǒu lǐ názhe gāng chángqiāng. Tā kàndào le yì zhī chǒu hóuzi. Zài hóuzi pángbiān, tā kàn dào le yígè chuānzhe yín kuījiǎ de piàoliang niánqīng rén.

Yāoguài xiào le. "A hā, shì xiǎo nánhái Nǎzhā, Lǐ de dì sān gè er zi. Nǐ zài zhèlǐ zuò shénme?"

Nǎzhā Tàizǐ shuō, "Wǒ lái zhèlǐ shì yīnwèi nǐ zhǎo le máfan!

的儿子哪吒太子。他们都是伟大的战士。我要他们带着天兵军队。还有，我要两个雷神。他们要在高高的云上看着战斗，向妖怪扔雷电，杀死他。"

可韩君叫来了李天王、哪吒太子、两个雷神和天兵军队。他们都见了孙悟空。他们一起出了南天门，回到了金山。当他们来到金洞的时候，李对孙悟空说，"请让我儿子开始打吧。他是天宫中最伟大的战士。"

孙悟空和哪吒太子站在洞门外。孙悟空喊道，"恶魔，打开这扇门，放我师父走！"小魔鬼跑去告诉他们的师父。魔鬼走了出来，手里拿着钢长枪。他看到了一只丑猴子。在猴子旁边，他看到了一个穿着银盔甲的漂亮年轻人。

妖怪笑了。"啊哈，是小男孩哪吒，李的第三个儿子。你在这里做什么？"

哪吒太子说，"我来这里是因为你找了麻烦！

Yùhuáng Dàdì fā le fǎlìng, ràng wǒ lái zhuā nǐ. Fàng

Tángsēng zǒu, nǐ gēn wǒ lái."

Yāoguài xiǎng yào cì Nǎzhā Tàizǐ. Nǎzhā yòng tā de yín

jiàn qù jiē chángqiāng. Tāmen kāishǐ zhàndòu. Sūn

Wùkōng fēi dào kōngzhōng, duìzhe léishén hǎn dào,

"Kuài! Bǎ nǐ de léidiàn rēng xiàng yāoguài!"

Nǎzhā shuō le yìxiē mó yǔ. Mǎshàng, tā yǒu le sān zhī

tóu liùtiáo shǒubì. Měi tiáo shǒubì dōu wòzhe yì bǎ jiàn.

Yāoguài yě biànchéng le sān zhī tóu liùtiáo shǒubì de

yāoguài. Měi tiáo shǒubì dōu názhe yì gēn chángqiāng.

Tàizǐ bǎ liù bǎ jiàn diū xiàng kōngzhōng, hǎn dào, "Biàn!"

Liù bǎ jiàn biànchéng le liùqiān bǎ jiàn, suǒyǒu de jiàn

dōu xiàng yāoguài fēi qù. Yāoguài ná chū tā de bái quān,

hǎn dào, "Jī zhòng!" Mǎshàng, liùqiān bǎ jiàn dōu bèi xī

jìn le quān lǐ, xiāoshī bújiàn le. Nǎzhā zhàn zài nàlǐ, shǒu

lǐ shénme dōu méiyǒu le. Yāoguài xiào le, zǒu huí le

shāndòng.

Yígè léishén duì lìng yígè léishén shuō, "Hái hǎo wǒmen

méiyǒu xiàng nà yāoguài rēng léidiàn! Rúguǒ yāoguài de

shǒu bǎ wǒmen de léidiàn xī jìn tā de bái quān, wǒmen

yào zěnme zuò? Wǒmen xūyào wǒmen de léidiàn lái zào

léiyǔ."

玉皇大帝发了法令，让我来抓你。放唐僧走，你跟我来。"

妖怪想要刺哪吒太子。哪吒用他的银剑去接长枪。他们开始战斗。孙悟空飞到空中，对着雷神喊道，"快！把你的雷电扔向妖怪！"

哪吒说了一些魔语。马上，他有了三只头六条手臂。每条手臂都握着一把剑。妖怪也变成了三只头六条手臂的妖怪。每条手臂都拿着一根长枪。太子把六把剑丢向空中，喊道，"变！"六把剑变成了六千把剑，所有的剑都向妖怪飞去。妖怪拿出他的白圈，喊道，"击中！"马上，六千把剑都被吸进了圈里，消失不见了。哪吒站在那里，手里什么都没有了。妖怪笑了，走回了山洞。

一个雷神对另一个雷神说，"还好我们没有向那妖怪扔雷电！如果妖怪的手把我们的雷电吸进他的白圈，我们要怎么做？我们需要我们的雷电来造雷雨。"

Lǐ, Nǎzhā hé Sūn Wùkōng tán le zhè shì. Sūn Wùkōng shuō, "Wǒmen yídìng yào zhǎodào yí jiàn bùnéng bèi nà bái quān xī jìnqù de wǔqì."

Lǐ shuō, "Zhǐyǒu shuǐ hé huǒ cáinéng bú bèi xī zǒu, yīnwèi tāmen de lìliàng shì méiyǒu xiànzhì de."

"Dāngrán, nǐ shì duì de!" Sūn Wùkōng huídá. Tā tiào dào kōngzhōng, yòng tā de jīndǒu yún qù le tiāngōng, chuānguò Nán Tiānmén. Zhè yícì, tā méiyǒu qù jiàn Yùhuáng Dàdì. Tā qù kàn le Huǒxīng, nà kē huǒ zhī xīng. Huǒxīng chūlái jiàn tā, shuō, "Nǐ zěnme yòu lái le? Nǐ zuótiān láiguò zhèlǐ. Wǒ gàosùguò nǐ, wǒjiā méiyǒu rén qù le dìqiú. Nǐ wèishénme yòu huílái le?"

"Wǒmen xūyào nǐ de bāngzhù."

"Wǒ zěnme bāng nǐ? Wěidà de Nǎzhā Tàizǐ dǎbài le jiǔshíliù gè dòng lǐ de móguǐ. Rúguǒ tā bùnéng dǎbài zhège yāoguài, wǒ zěnme néng?"

"Yāoguài yǒu yígè mó quān, kěyǐ xī zǒu rènhé wǔqì. Tā yǐ

58

李、哪吒和孙悟空谈了这事。孙悟空说，"我们一定要找到一件不能被那白圈吸进去的武器。"

李说，"只有水和火才能不被吸走，因为它们的力量是没有限制[32]的。"

"当然，你是对的！"孙悟空回答。他跳到空中，用他的筋斗云去了天宫，穿过南天门。这一次，他没有去见玉皇大帝。他去看了火星，那颗火之星。火星出来见他，说，"你怎么又来了？你昨天来过这里。我告诉过你，我家没有人去了地球。你为什么又回来了？"

"我们需要你的帮助。"

"我怎么帮你？伟大的哪吒太子打败了九十六个洞里的魔鬼。如果他不能打败这个妖怪，我怎么能？"

"妖怪有一个魔圈，可以吸走任何武器。它已

---

[32] 限制　xiànzhì – limit

jīng xī zǒu le wǒ de jīn gū bàng hé Nǎzhā Tàizǐ de jiàn.

Wǒmen bù zhīdào tā shì shénme. Dànshì huǒ kěyǐ

huǐhuài rènhé dōngxi. Qǐng hé wǒmen yìqǐ lái. Diǎn huǒ,

shāo le móguǐ. Nǐ yídìng yào jiù wǒ de shīfu!"

Huǒxīng tóngyì le. Tā hé Sūn Wùkōng huí dào le Jīn

Dòng. Zhè yí cì, Lǐ zìjǐ zhàn zài shāndòng qián, hǎnzhe

ràng yāoguài chūlái. Yāoguài chūlái, kàndào le Lǐ. "Suǒyǐ,

nǐ bù gāoxìng shì yīnwèi wǒ ná zǒu le nǐ xiǎo nánhái de

jiàn? Tài bù hǎo le!" Tā xiào le.

Lǐ Tiānwáng shuō, "Bù, wǒ shì lái zhèlǐ zhuā nǐ de. Bǎ

Tángsēng gěi wǒ!" Yāoguài dāngrán méiyǒu bǎ Tángsēng

gěi tā. Tāmen kāishǐ zhàndòu. Sūn Wùkōng fēi shàng

yún, duì Huǒxīng shuō, "Zhǔnbèi hǎo yòng nǐ de huǒ duì

yāoguài!"

Lǐ hé yāoguài zhàndòu. Ránhòu tā kàndào yāoguài ná

chū le bái quān. Lǐ méiyǒu tíngliú. Tā fēi zǒu le. "Kuài,

yòng nǐ de huǒ!" Sūn Wùkōng duì zhe Huǒxīng hǎn dào.

Huǒxīng xiàng yāoguài rēng le yígè dàdà de huǒqiú.

Huǒqiú lǐ yǒu wǔtiáo huǒlóng, wǔ pǐ huǒ mǎ hé wǔ zhī

huǒ niǎo. Yāoguài jǔ qǐ bái quān. Huǒqiú bèi xī jìn le

quān. Tā

经吸走了我的金箍棒和哪吒太子的剑。我们不
知道它是什么。但是火可以毁坏任何东西。请
和我们一起来。点火，烧了魔鬼。你一定要救
我的师父！"

火星同意了。他和孙悟空回到了金洞。这一
次，李自己站在山洞前，喊着让妖怪出来。妖
怪出来，看到了李。"所以，你不高兴是因为
我拿走了你小男孩的剑？太不好了！"他笑
了。

李天王说，"不，我是来这里抓你的。把唐僧
给我！"妖怪当然没有把唐僧给他。他们开始
战斗。孙悟空飞上云，对火星说，"准备好用
你的火对妖怪！"

李和妖怪战斗。然后他看到妖怪拿出了白圈。
李没有停留。他飞走了。"快，用你的火！"
孙悟空对着火星喊道。火星向妖怪扔了一个大
大的火球。火球里有五条火龙、五匹火马和五
只火鸟。妖怪举起白圈。火球被吸进了圈。它

xiāoshī bújiàn le. Suǒyǒu de lóng, mǎ hé niǎo dōu xiāoshī
le. Yāoguài zhuǎnshēn, zǒu huí le tā de dòng.

Huǒxīng shāngxīn de zuò zài dìshàng. "Wǒ méiyǒu le wǒ
de huǒ," tā shuō. "Wǒ xiànzài néng zuò shénme?"

"Děngzhe," Sūn Wùkōng shuō. "Wǒmen dōu zhīdào shuǐ
néng dǎbài huǒ." Tā fēi shàng běi tiānmén, qǐng Shuǐxīng
bāngmáng. "Qǐng dài lái shuǐ. Yānmò shāndòng. Yān sǐ
yāoguài!"

"Wǒ dāngrán kěyǐ," Shuǐxīng huídá, "dàn nà yě huì yān sǐ
nǐ de shīfu."

"Bié dānxīn, wǒ kěyǐ ràng tā cóng sǐ lǐ huó guòlái."

"Hǎo," Shuǐxīng huídá. Tā cóng cháng yī lǐ ná chū yígè
shèngbēi, jǔ qǐlái. "Zhège shèngbēi kàn qǐlái hěn xiǎo.
Dàn tā kěyǐ zhuāng zhěng tiáo Huáng Hé."

Sūn Wùkōng xiào dào. "Wǒ juédé bàn gè shèngbēi jiù
zúgòu le! Gēn wǒ qù Jīn Dòng. Děng yāoguài yì dákāi
dòng mén, jiù bǎ shuǐ dào rù dòng

消失不见了。所有的龙、马和鸟都消失了。妖怪转身，走回了他的洞。

<u>火星</u>伤心的坐在地上。"我没有了我的火，"他说。"我现在能做什么？"

"等着，"<u>孙悟空</u>说。"我们都知道水能打败火。"他飞上<u>北天门</u>，请<u>水星</u>帮忙。"请带来水。淹没山洞。淹死妖怪！"

"我当然可以，"<u>水星</u>回答，"但那也会淹死你的师父。"

"别担心，我可以让他从死里活过来。"

"好，"<u>水星</u>回答。他从长衣里拿出一个圣杯[33]，举起来。"这个圣杯看起来很小。但它可以装整条<u>黄河</u>。"

<u>孙悟空</u>笑道。"我觉得半个圣杯就足够了！跟我去<u>金洞</u>。等妖怪一打开洞门，就把水倒入洞

---

[33] 圣杯   shèngbēi – chalice (literally, "holy cup")

lǐ. Búyào děngdào zhàndòu kāishǐ."

Sūn Wùkōng zǒu dào dòng ménkǒu, jiào yāoguài chūlái.
Yāoguài dǎkāi mén. Shuǐxīng dǎkāi le tā de shèngbēi.
Yíbàn de Huáng Hé shuǐ cóng shèngbēi zhōng dào chū.
Yāoguài mǎshàng jǔ qǐ tā de bái quān, xī gān le suǒyǒu
de shuǐ. Ránhòu shuǐ cóng quān de lìng yìbiān liúchū. Tā
chōng chū shāndòng, lái dào shānshàng. Sūn Wùkōng hé
Shuǐxīng wèi le bì kāi chōng chūlái de shuǐ, zhǐ néng fēi
dào kōngzhōng. Shuǐ biànchéng le hóngshuǐ, yānmò le
sìzhōu jǐ lǐ de tǔdì. Tā yānmò le lù, cūnzhuāng hé
nóngtián. "Zhè hěn bù hǎo," Sūn Wùkōng shuō. "Yāoguài
yìdiǎn méiyǒu shòudào zhège de yǐngxiǎng, dànshì kàn
kàn wǒmen zhǎo lái de suǒyǒu máfan."

Tā zhēn de shēngqì le. Tā pǎo huí dào dòng mén, yòng
quán qiāodǎzhe mén. "Chūlái, nǐ zhège xié'è de yāoguài.
Wǒ bù xūyào wǒ de bàng, wǒ huì yòng wǒ de quán lái dǎ
nǐ!"

"Nǐ de quán hé hétáo yíyàng xiǎo," yāoguài shuō. "Dàn
rúguǒ nǐ xiǎng yòng nǐ de quán lái zhàndòu, wǒmen kěyǐ
zhàndòu." Tā rēng

里。不要等到战斗开始。"

孙悟空走到洞门口，叫妖怪出来。妖怪打开门。水星打开了他的圣杯。一半的黄河水从圣杯中倒出。妖怪马上举起他的白圈，吸干了所有的水。然后水从圈的另一边流出。它冲出山洞，来到山上。孙悟空和水星为了避开冲出来的水，只能飞到空中。水变成了洪水[34]，淹没了四周几里的土地。它淹没了路、村庄和农田。

"这很不好，"孙悟空说。"妖怪一点没有受到这个的影响，但是看看我们找来的所有麻烦。"

他真的生气了。他跑回到洞门，用拳敲打着门。"出来，你这个邪恶的妖怪。我不需要我的棒，我会用我的拳来打你！"

"你的拳和核桃[35]一样小，"妖怪说。"但如果你想用你的拳来战斗，我们可以战斗。"他扔

---

[34] 洪水　hóngshuǐ – flood
[35] 核桃　hétáo – walnut

diào tā de chángqiāng, hé Sūn Wùkōng kāishǐ kōngshǒu zhàndòu. Tāmen dǎ le hěn cháng shíjiān, měi gè rén dōu yòng quán hé jiǎo dǎ lái dǎ. Lǐ Tiānwáng, Nǎzhā Tàizǐ, Huǒxīng, Shuǐxīng hé liǎng wèi léishén, dōu zài fùjìn kànzhe, duìzhe tāmen jiào. Jǐ bǎi zhī xiǎo móguǐ yě zài jiàozhe, qiāozhe gǔ. Sūn Wùkōng bá le wǔshí gēn tóufà, hǎn dào, "Biàn." Tóufà biànchéng le wǔshí zhī xiǎo hóuzi. Tāmen dōu qù dǎ yāoguài, yǎozhe, zhuāhén, tīzhe yāoguài.

Yāoguài biàn dé yǒuxiē hàipà le. Tā ná chū le tā de bái quān. Dāng Sūn Wùkōng hé qítā rén kànjiàn zhè, dōu fēi zǒu líkāi le. Wǔshí zhī xiǎo hóuzi dōu bèi xī jìn le quān lǐ. Zhàndòu jiéshù le. Yāoguài xiàozhe zǒu huí shāndòng.

Sūn Wùkōng huíqù hé qítā rén tánhuà. Tā shuō, "Nǐmen juédé yāoguài de zhàndòu nénglì zěnmeyàng?"

Lǐ shuō, "Wùkōng, tā bùbǐ nǐ hǎo. Dàn tā yǒu bái quān. Tā búhuì shū le zhàndòu de. Rúguǒ nǐ bùnéng zài zhàndòu zhōng dǎbài tā, nǐ jiù bìxū tōu tā de bǎobèi! Nǐ hěn huì tōu dōngxi. Wǒ zhīdào jǐ bǎi nián qián nǐ cóng Tàishàng Lǎojūn tiāngōng zhōng de wūzi lǐ tōu zǒu le dān yào. Xiànzài nǐ bìxū tōu zǒu tā de quān."

掉他的长枪，和孙悟空开始空手战斗。他们打了很长时间，每个人都用拳和脚打来打。李天王、哪吒太子、火星、水星和两位雷神，都在附近看着，对着他们叫。几百只小魔鬼也在叫着，敲着鼓。孙悟空拔了五十根头发，喊道，"变。"头发变成了五十只小猴子。他们都去打妖怪，咬着、抓痕、踢着妖怪。

妖怪变得有些害怕了。他拿出了他的白圈。当孙悟空和其他人看见这，都飞走离开了。五十只小猴子都被吸进了圈里。战斗结束了。妖怪笑着走回山洞。

孙悟空回去和其他人谈话。他说，"你们觉得妖怪的战斗能力怎么样？"

李说，"悟空，他不比你好。但他有白圈。他不会输了战斗的。如果你不能在战斗中打败他，你就必须偷他的宝贝！你很会偷东西。我知道几百年前你从太上老君天宫中的屋子里偷走了丹药。现在你必须偷走他的圈。"

"Hǎo zhǔyì!" Sūn Wùkōng shuō. Tā biànchéng le yì zhī
xiǎo chóng, pá jìn le dòng lǐ. Tā kàndào le jǐ bǎi gè xiǎo
móguǐ, dōu zài tiàowǔ hé chànggē. Dà Shuǐniú Wáng zuò
zài yì zhāng dà yǐzi shàng, hējiǔ chīfàn. Sūn Wùkōng zài
shāndòng lǐ fēi lái fēi qù zhǎo quān. Tā méiyǒu kàndào
tā. Dàn zài dòng de hòumiàn, tā kàndào le wǔ pǐ huǒ mǎ,
wǔ zhī huǒlóng hé wǔ zhī huǒ niǎo. Tāmen de pángbiān
shì jīn gū bàng. Sūn Wùkōng biàn huí le tā zìjǐ de yàngzi,
zhuā zhù le bàng. Tā zhuǎnshēn, dǎkāi yìtiáo lù, chū le
shāndòng.

"好主意！"孙悟空说。他变成了一只小虫，爬进了洞里。他看到了几百个小魔鬼，都在跳舞和唱歌。大水牛王坐在一张大椅子上，喝酒吃饭。孙悟空在山洞里飞来飞去找圈。他没有看到它。但在洞的后面，他看到了五匹火马，五只火龙和五只火鸟。他们的旁边是金箍棒。孙悟空变回了他自己的样子，抓住了棒。他转身，打开一条路，出了山洞。

Dì 52 Zhāng

Sūn Wùkōng huí dào le nàxiē shén děng tā de dìfāng.
Tāmen wèn tā fāshēng le shénme shì. Tā huídá shuō,
"Wǒ biànchéng le yì zhī xiǎo chóng, jìn le dòng lǐ. Wǒ
kàndào yāoguài zài chīhē, zài hé tā de xiǎo móguǐ
shuōhuà. Ránhòu wǒ tīngdào le cóng shāndòng hòumiàn
chuán lái mǎ de shēngyīn. Wǒ zǒu dào nà hòumiàn,
zhǎodào le wǒ de jīn gū bàng. Ránhòu wǒ yòng bàng
dǎkāi yìtiáo lù, chū le shāndòng."

"Wǒmen hěn gāoxìng nǐ zhǎo huí le nǐ de bǎobèi," nàxiē
shén shuō, "dàn wǒmen de bǎobèi ne?"

"Bié dānxīn, wǒ huì bāng nǐmen bǎ tāmen ná huílái de,"
Sūn Wùkōng shuō. Jiù zài zhè shí, tā tīngdào yí dàqún rén
yánzhe lù xiàng tā zǒu lái. Zài zhèxiē rén de qiánmiàn de
shì Dà Shuǐniú Wáng. Zài tā shēnhòu, yǒu jǐ bǎi gè xiǎo
móguǐ. "Hěn bèn de móguǐ, nǐ yào qù nǎlǐ?" Sūn Wùkōng
hǎn dào.

"Nǐ zhège xiǎotōu!" Yāoguài hǎn dào. "Nǐ ná zǒu le wǒ
de bǎobèi. Nǐ zěnme gǎn zhèyàng zuò!"

第 52 章

<u>孙悟空</u>回到了那些神等他的地方。他们问他发生了什么事。他回答说，"我变成了一只小虫，进了洞里。我看到妖怪在吃喝，在和他的小魔鬼说话。然后我听到了从山洞后面传来马的声音。我走到那后面，找到了我的金箍棒。然后我用棒打开一条路，出了山洞。"

"我们很高兴你找回了你的宝贝，"那些神说，"但我们的宝贝呢？"

"别担心，我会帮你们把它们拿回来的，"<u>孙悟空</u>说。就在这时，他听到一大群人沿着路向他走来。在这些人的前面的是<u>大水牛</u>王。在他身后，有几百个小魔鬼。"很笨的魔鬼，你要去哪里？"<u>孙悟空</u>喊道。

"你这个小偷！"妖怪喊道。"你拿走了我的宝贝。你怎么敢这样做！"

"Nǐ shì xiǎotōu! Nǐ yòng nǐ de bái quān tōu zǒu le wǒ de bǎobèi. Nǐ hái tōu le wǒ péngyǒu de bǎobèi. Búyào táopǎo. Shì shì lǎo hóuzi de bàng ba!"

Tāmen yòu kāishǐ dǎ le qǐlái. Sān gè xiǎoshí hòu, tāmen hái zài zhàndòu. Shuí yě bùnéng yíng. Yìtiān jiù yào jiéshù le. "Wùkōng," yāoguài shuō, "wǒmen xiànzài tíng xiàlái ba. Míngtiān zǎoshàng wǒmen kěyǐ jìxù zhàndòu."

"Bì zuǐ, nǐ zhège wúfǎwútiān de yāoguài!" Sūn Wùkōng shuō. "Wǒ búzàihū shì búshì tài wǎn le. Wǒ xiǎng zhīdào shuí shì gèng hǎo de zhànshì." Dànshì yāoguài zhuǎnshēn pǎo huí le tā de dòng. Tā de xiǎo móguǐ gēnzhe tā. Ránhòu tā guānshàng dòng mén, jǐn suǒ le mén.

Lǐ Tiānwáng duì Sūn Wùkōng shuō, "Hǎo le, jīntiān jiù zhèyàng ba. Ràng wǒmen xiūxi yígè wǎnshàng, míngrì zài dǎ."

"Búyào," Sūn Wùkōng shuō. "Xiànzài shì wǒ huí dào dòng lǐ de zuì hǎo shí hòu. Yāoguài lèi le. Tā bú huì lái zhǎo wǒ. Dāngrán,

"你是小偷！你用你的白圈偷走了我的宝贝。你还偷了我朋友的宝贝。不要逃跑。试试老猴子的棒吧！"

他们又开始打了起来。三个小时后，他们还在战斗。谁也不能赢。一天就要结束了。"悟空，"妖怪说，"我们现在停下来吧。明天早上我们可以继续战斗。"

"闭嘴，你这个无法无天的妖怪！"孙悟空说。"我不在乎[36]是不是太晚了。我想知道谁是更好的战士。"但是妖怪转身跑回了他的洞。他的小魔鬼跟着他。然后他关上洞门，紧锁了门。

李天王对孙悟空说，"好了，今天就这样吧。让我们休息一个晚上，明日再打。"

"不要，"孙悟空说。"现在是我回到洞里的最好时候。妖怪累了。他不会来找我。当然，

---

[36] 不在乎 búzàihū – not give a damn about

nǐ zhīdào wǎnshàng shì zuò xiǎotōu de zuì hǎo shíjiān! Xiànzài shì wǒ jìn dào dòng lǐ sìzhōu kàn kàn de zuì hǎo shíjiān. Kěnéng wǒ néng nádào nǐmen de yìxiē bǎobèi."

Hóu wáng yòu biànchéng le yì zhī xiǎo chóng. Tā pá jìn le shāndòng. Tā kànjiàn yāoguài shuì zài tā de chuángshàng. Yāoguài de bái quān xiàng shǒubì tào yíyàng tào zài tā de shàng shǒubì shàng. "A, nà yāoguài hěn xiǎoxīn!" Sūn Wùkōng xiǎng. Ránhòu tā biànchéng le yì zhī tiàozǎo. Tā pá dào bèizi xià, yǎo le yāoguài de shǒubì. Yāoguài tiào le qǐlái, dàn tā de quān hái zài tā de shǒubì shàng. "Hǎo ba, nà bùxíng," Sūn Wùkōng xiǎng.

Suǒyǐ tā fēi jìn le dòng zhōng de lìng yígè fángjiān. Tā kàn dào nàlǐ diǎnzhe míngliàng de dēng. Fángjiān lǐmiàn, shì yāoguài cóng shén nàlǐ ná zǒu de wǔqì. Ránhòu tā kàn dào zhuōzi shàng yǒu yì xiǎo duī yǒu wǔshí gēn zuǒyòu de hóu máo. "Ò, tiān nǎ!" tā xiǎng. Tā biàn huí le tā zìjǐ de yàngzi. Tā ná qǐ tóufà, zài shàngmiàn chuī le yíxià, xiǎoshēng shuō, "Biàn!" Suǒyǒu wǔshí gēn máo biànchéng le wǔshí zhī xiǎo hóuzi. Yìxiē hóuzi ná qǐ le wǔqì. Qítā de hóu

你知道晚上是做小偷的最好时间！现在是我进到洞里四周看看的最好时间。可能我能拿到你们的一些宝贝。"

猴王又变成了一只小虫。他爬进了山洞。他看见妖怪睡在他的床上。妖怪的白圈像手臂套一样套在他的上手臂上。"啊，那妖怪很小心！"孙悟空想。然后他变成了一只跳蚤[37]。他爬到被子下，咬了妖怪的手臂。妖怪跳了起来，但他的圈还在他的手臂上。"好吧，那不行，"孙悟空想。

所以他飞进了洞中的另一个房间。他看到那里点着明亮的灯。房间里面，是妖怪从神那里拿走的武器。然后他看到桌子上有一小堆有五十根左右的猴毛。"哦，天哪！"他想。他变回了他自己的样子。他拿起头发，在上面吹了一下，小声说，"变！"所有五十根毛变成了五十只小猴子。一些猴子拿起了武器。其他的猴

---

[37] 跳蚤　tiàozǎo – flea

zi zǒu dào dòng de hòumiàn, ná le wǔ pǐ huǒ mǎ, wǔ zhī huǒ lóng, wǔ zhī huǒ niǎo. Wèi le ràng xiǎo móguǐ fēn xīn, Sūn Wùkōng fàng le yì bǎ huǒ. Xiǎo móguǐ bèi huǒ xià huài le, xiǎng bǎ huǒ miè le. Dāng tāmen zài mièhuǒ shí, Sūn Wùkōng hé wǔshí zhī xiǎo hóuzi dàizhe bǎobèi pǎo chū le shāndòng.

Dà Shuǐniú Wáng xǐng le. Tā cóng chuángshàng tiào le qǐlái. Tā zài shāndòng lǐ pǎo lái pǎo qù, yòng tā de bái quān bǎ huǒ zhuā jìnqù. Měi cì tā ná tā de quān, huǒ dōu bèi xī le jìnqù, xiāoshī bújiàn le. Zuìhòu, suǒyǒu de huǒ dōu xiāoshī le. "Shì nà zhī xiǎotōu hóuzi zuò de!" tā hǎn dào. "Wǒ huì zhǎodào tā, shā le tā!"

Dì èr tiān zǎoshàng, Sūn Wùkōng hé nàxiē shén huí dào shāndòng. "Wúfǎwútiān de móguǐ," tā hǎn dào, "lái hé lǎo hóuzi zhàndòu!"

"Nǐ zhège fànghuǒ tōu dōngxi de hóuzi!" yāoguài huídá. "Nǐ wèishénme juédé nǐ néng yíng wǒ?"

"Ò, nǐ zhège wúfǎwútiān de yāoguài," Sūn Wùkōng shuō,

子走到洞的后面，拿了五匹火马、五只火龙、五只火鸟。为了让小魔鬼分心[38]，孙悟空放了一把火。小魔鬼被火吓坏了，想把火灭了。当他们在灭火时，孙悟空和五十只小猴子带着宝贝跑出了山洞。

大水牛王醒了。他从床上跳了起来。他在山洞里跑来跑去，用他的白圈把火抓进去。每次他拿他的圈，火都被吸了进去，消失不见了。最后，所有的火都消失了。"是那只小偷猴子做的！"他喊道。"我会找到他，杀了他！"

第二天早上，孙悟空和那些神回到山洞。"无法无天的魔鬼，"他喊道，"来和老猴子战斗！"

"你这个放火偷东西的猴子！"妖怪回答。"你为什么觉得你能赢我？"

"哦，你这个无法无天的妖怪，"孙悟空说，

---

[38] 分心　　fēn xīn – to distract

"ràng wǒ gàosù nǐ wǒ de gùshì:

Wǒ cóng chūshēng kāishǐ jiùshì yígè wěidà de
zhànshì

Wǒ niánqīng de shíhòu jiù gēnzhe dà shèng xuéxí

Wǒ xuéhuì le zěnme yòng shàngtiān de lìliàng

Jīndǒu yún, jīn gū bàng

Dìqiú hé tiāntáng de suǒyǒu dōu shì wǒ de

Wǒ zài shānshàng hé lǎohǔ dǎ

Wǒ zài hǎilǐ hé lóng zhàndòu

Huāguǒ Shān shàng yǒu wǒ de bǎozuò

Shuǐlián Dòng lǐ yǒu wǒ de jiā

Dàn xiǎng yào gèng duō, wǒ fēi dào le tiāngōng

Hěn bèn de wǒ tōu shàngmiàn shìjiè de dōngxi

Wǒ chéng le Qí Tiān Dà Shèng

Měi hóu wáng

Yǒu yìtiān, nà lǐ yǒu yígè táohuā jié

Wǒ méiyǒu bèi yāoqǐng, dàn wǒ háishì lái le

Wǒ chī le suǒyǒu de shíwù, wǒ hē le suǒyǒu de jiǔ

Yùhuáng Dàdì kànjiàn le wǒ de xié'è xíngwéi

"让我告诉你我的故事：

我从出生开始就是一个伟大的战士

我年轻的时候就跟着大圣学习

我学会了怎么用上天的力量

筋斗云，金箍棒

地球和天堂的所有都是我的

我在山上和老虎打

我在海里和龙战斗

花果山上有我的宝座

水帘洞里有我的家

但想要更多，我飞到了天宫

很笨的我偷上面世界的东西

我成了齐天大圣

美猴王

有一天，那里有一个桃花节

我没有被邀请，但我还是来了

我吃了所有的食物，我喝了所有的酒

玉皇大帝看见了我的邪恶行为[39]

---

[39] 行为　xíngwéi – behavior

Tā sòng qù le yì zhī jūnduì, dàn wǒ dǎbài le tāmen

Zhōngyú Tàishàng Lǎojūn zhuā zhù le wǒ

Tā bǎ wǒ fàng zài huǒpén lǐ sìshíjiǔ tiān

Wǒ chūlái shí xiàng gāngtiě yíyàng qiángdà

Xiàng zuànshí nàyàng yìng

Xiàng lǎohǔ nàyàng qiángdà!

Tiānshénmen yě hàipà wǒ

Ránhòu fózǔ piàn le wǒ

Tā guān le wǒ wǔbǎi nián

Méiyǒu shíwù zhǐyǒu huǒ, méiyǒu hē de zhǐyǒu rè tiě

Zhídào Tángsēng fàng le wǒ

Guānyīn púsà jiāo le wǒ

Xiànzài wǒ hé Tángsēng yìqǐ wǎng xī zǒu

Fàng le héshang, nǐ zhège wúfǎwútiān de móguǐ

Fàng le héshang, xiàng fózǔ jūgōng!"

Yāoguài tīng le hòu, shuō, "Suǒyǐ nǐ jiùshì zài tiānshàng tōu bǎobèi de xiǎotōu! Nǐ de shēngmìng jiéshù le. Zhǔnbèi qù sǐ ba!" Tāmen kāishǐ zhàndòu. Suǒyǒu de tiānshén hé tiānshàng de zhànshì dōu hé yāo

他送去了一支军队，但我打败了他们

终于<u>太上老君</u>抓住了我

他把我放在火盆里四十九天

我出来时像钢铁一样强大

像钻石那样硬

像老虎那样强大！

天神们也害怕我

然后佛祖骗了我

他关了我五百年

没有食物只有火，没有喝的只有热铁

直到<u>唐僧</u>放了我

<u>观音</u>菩萨教了我

现在我和<u>唐僧</u>一起往西走

放了和尚，你这个无法无天的魔鬼

放了和尚，向佛祖鞠躬！”

妖怪听了后，说，"所以你就是在天上偷宝贝的小偷！你的生命结束了。准备去死吧！"他们开始战斗。所有的天神和天上的战士都和妖

guài zhàndòu. Dànshì zhè chǎng zhàndòu jiéshù dé hé qítā de zhàndòu yíyàng. Yāoguài zhǐshì názhe tā de bái quān, shuō le yígè, "Jī zhòng." Suǒyǒu de wǔqì dōu bèi xīrù quān zhōng, xiāoshī bújiàn le. Sūn Wùkōng hé nàxiē shén yòu shì liǎngshǒukōngkōng.

Tiānshénmen hěn bù gāoxìng, Sūn Wùkōng xiàozhe shuō, "Qǐng nǐmen búyào bù gāoxìng. Nǐ zhīdào gǔrén shuō de 'Yíng hé shū duì zhànshì lái shuō shì jīngcháng yùjiàn de shì.' Wǒ huì zhǎo chū zhège yāoguài shì shuí. Wǒ yǐjīng qù tiāngōng wènguò le Yùhuáng Dàdì. Wǒ zài zhěnggè tiāngōng zhōng de měi yígè dìfāng dōu zhǎo le, dàn wǒ méiyǒu fāxiàn yāoguài shì shuí. Xiànzài wǒ bìxū qù bié de dìfāng kàn kàn."

"Nǐ yào qù nǎ?" Lǐ Tiānwáng wèn.

"Wǒ yào yìzhí zǒu dào xītiān, wǒ huì wèn fózǔ. Tā shénme dōu zhīdào. Tā kěyǐ bāngzhù wǒmen."

"Rúguǒ nǐ xiǎng qù, jiù kuài diǎn qù," Lǐ shuō.

Sūn Wùkōng yòng tā de jīndǒu yún, jǐ fēnzhōng hòu jiù dào le xītiān. Tā kàndào yízuò gāoshān jiǎoxià de yígè měilì xiǎo cūnzhuāng. Měi chù shì xiānhuā, niǎo er zài gēchàng, qīng fēng chuīguò shùlín. Tā néng tīng

怪战斗。但是这场战斗结束得和其他的战斗一样。妖怪只是拿着他的白圈，说了一个，"击中。"所有的武器都被吸入圈中，消失不见了。<u>孙悟空</u>和那些神又是两手空空。

天神们很不高兴，<u>孙悟空</u>笑着说，"请你们不要不高兴。你知道古人说的'赢和输对战士来说是经常遇见的事。'我会找出这个妖怪是谁。我已经去天宫问过了<u>玉皇大帝</u>。我在整个天宫中的每一个地方都找了，但我没有发现妖怪是谁。现在我必须去别的地方看看。"

"你要去哪？"<u>李天王</u>问。

"我要一直走到西天，我会问佛祖。他什么都知道。他可以帮助我们。"

"如果你想去，就快点去。"<u>李</u>说。

<u>孙悟空</u>用他的筋斗云，几分钟后就到了西天。他看到一座高山脚下的一个美丽小村庄。每处是鲜花，鸟儿在歌唱，轻风吹过树林。他能听

dào zhōng shēng hé liúshuǐ de shēngyīn. Shèng nán
shèng nǚ men zài gāodà de lǎo shù xià gěi tāmen de
xuéshēng shàngkè, qítā rén zài xiǎo lù shàng màn man
xíngzǒu. Zhè zhēnshì yígè mǎn shì fózǔ jīngshén de
dìfāng.

Sūn Wùkōng zhǐshì zhànzhe, kànzhe zhè měilì de dìfāng.
Ránhòu tā tīng dào yǒurén hé tā shuōhuà. Tā zhuǎnguò
shēn lái, kàndào le Bǐqiūní púsà. Tā duì tā shuō, "Wǒ yǒu
yí jiàn hěn zhòngyào de shì, wǒ yào hé fózǔ miànduìmiàn
de tán."

Bǐqiūní huídá shuō, "Yào jiàn fózǔ, bìxū dào shāndǐng
shàng de Léiyīn Sì. Gēnzhe wǒ." Tāmen fēi dào le
shāndǐng shàng Léiyīn Sì ménkǒu. Bā míng Jīn Gāng
shìwèi shǒuwèizhe tā. Bǐqiūní duì tāmen shuō, "Sūn
Wùkōng yào jiàn fózǔ." Jīngāng shìwèi zǒu dào yìbiān
ràng tāmen jìnqù.

Fózǔ pántuǐ zuò zài shù xià. Tā chuān yí jiàn huángsè de
cháng yī hé cǎoxié. Tā kànzhe Sūn Wùkōng shuō,
"Wùkōng, wǒ tīng shuō Tángsēng bǎ nǐ cóng wǔbǎi nián
qián wǒ guān nǐ de jiānyù lǐ fàng le chūlái. Wǒ yě

到钟声和流水的声音。圣男圣女们在高大的老树下给他们的学生上课，其他人在小路上慢慢行走。这真是一个满是佛祖精神的地方。

孙悟空只是站着，看着这美丽的地方。然后他听到有人和他说话。他转过身来，看到了比丘尼[40]菩萨。他对她说，"我有一件很重要的事，我要和佛祖面对面的谈。"

比丘尼回答说，"要见佛祖，必须到山顶上的雷音寺。跟着我。"他们飞到了山顶上雷音寺门口。八名金刚侍卫守卫[41]着它。比丘尼对他们说，"孙悟空要见佛祖。"金刚侍卫走到一边让他们进去。

佛祖盘腿坐在树下。他穿一件黄色的长衣和草鞋。他看着孙悟空说，"悟空，我听说唐僧把你从五百年前我关你的监狱[42]里放了出来。我也

---

[40] 比丘尼 Bhikkuni, used here as a name but also means a fully ordained Buddhist nun. It is said that the order of Bhikkuni was created by the Buddha himself, at the request of his aunt.

[41] 守卫　shǒuwèi – to guard

[42] 监狱　jiānyù – prison

tīngshuō nǐ biàn le, nǐ xiànzài zhèngzài bāngzhù Tángsēng lái Léiyīn Sì. Dànshì nǐ zěnme yígè rén zài zhèlǐ?"

Sūn Wùkōng zài dìshàng kòutóu. Tā shuō, "Ràng wǒ gàosù fózǔ wǒ de gùshì. Nín de túdì xiànzài gēnzhe nín zǒu de lù. Wǒ zhèngzài bāngzhù Tángsēng lái dào zhèlǐ. Zhè shì yíduàn fēicháng kùnnán de lǚtú. Wǒmen yǐjīng zǒu le xǔduō nián le. Wǒmen yùdào le xǔduō móguǐ, yāoguài hé huāngyě dòngwù. Zuìjìn wǒmen lái dào le Jīn Shān, zài nàlǐ wǒmen yùdào le Dà Shuǐniú Wáng. Tā shì yígè èmó. Tā zhuā le wǒ de shīfu. Tā yǒu yígè qiángdà de wǔqì, yígè bái quān. Tā kěyǐ ràng rènhé wǔqì xiāoshī. Tā dǎbài le wǒ, yě dǎbài le tiāngōng lǐ zuì wěidà de zhànshì. Móguǐ guānzhe wǒ de shīfu, dǎsuàn hěn kuài chī le tā.

"Wǒ xiāngxìn zhège móguǐ shì yīnwèi duì shìjiè de xiàngwǎng cái líkāi le tiāngōng. Dàn wǒ bù zhīdào tā shì shuí, yě bù zhīdào zěnme dǎbài tā. Wǒ qùguò tiāngōng, wènguò Yùhuáng Dàdì, tā yě bùnéng bāng wǒ. Xiànzài wǒ qǐng nín gàosù wǒ zhège móguǐ de zhēnmíng, tā láizì nǎlǐ, wǒ zěnme néng dǎbài tā."

Fózǔ zuò le yì fēnzhōng. Tā yòng tā zhìhuì de yǎnjīng kàn xiàng yuǎn

听说你变了，你现在正在帮助唐僧来雷音寺。
但是你怎么一个人在这里？"

孙悟空在地上叩头。他说，"让我告诉佛祖我
的故事。您的徒弟现在跟着您走的路。我正在
帮助唐僧来到这里。这是一段非常困难的旅
途。我们已经走了许多年了。我们遇到了许多
魔鬼、妖怪和荒野动物。最近我们来到了金
山，在那里我们遇到了大水牛王。他是一个恶
魔。他抓了我的师父。他有一个强大的武器，
一个白圈。它可以让任何武器消失。他打败了
我，也打败了天宫里最伟大的战士。魔鬼关着
我的师父，打算很快吃了他。

"我相信这个魔鬼是因为对世界的向往才离开
了天宫。但我不知道他是谁，也不知道怎么打
败他。我去过天宫，问过玉皇大帝，他也不能
帮我。现在我请您告诉我这个魔鬼的真名，他
来自哪里，我怎么能打败他。"

佛祖坐了一分钟。他用他智慧的眼睛看向远

fāng. Hěn kuài, tā jiù míngbái le zhěng jiàn shìqing. Tā duì Sūn Wùkōng shuō, "Xiànzài wǒ zhīdào zhège móguǐ de míngzì le. Dàn wǒ bú huì gàosù nǐ, yīnwèi nǐ yǒu hóuzi de shétou, nǐ huì shuō de tài duō. Rúguǒ nǐ gàosù móguǐ wǒ bāngzhù le nǐ, tā zhǐ huì zài Léiyīn Sì lǐ zhēnglùn. Nà huì gěi wǒ dài lái hěnduō máfan. Zhè jiùshì wèishénme wǒ bú huì gàosù nǐ. Dànshì, wǒ huì yòng bùtóng de fāngfǎ bāngzhù nǐ."

Sūn Wùkōng zàicì kòutóu, shuō, "Ò, fózǔ dàrén qǐng gàosù wǒ!"

"Wǒ yào bǎ shíbā lì jīn dānshā gěi wǒ de shíbā gè luóhàn. Tāmen huì hé nǐ yìqǐ huí dào shāndòng. Zhǎodào móguǐ. Gàosù tā, nǐ xiǎng hé tā zài dǎ yícì. Dāng tā chūlái shí, wǒ de luóhàn huì fàngchū dānshā. Tā huì zhuā zhù tā. Tā huì méiyǒu bànfǎ dòng tā de shǒu huò jiǎo."

方。很快，他就明白了整件事情。他对孙悟空说，"现在我知道这个魔鬼的名字了。但我不会告诉你，因为你有猴子的舌头[43]，你会说的太多。如果你告诉魔鬼我帮助了你，他只会在雷音寺里争论。那会给我带来很多麻烦。这就是为什么我不会告诉你。但是，我会用不同的方法帮助你。"

孙悟空再次叩头，说，"哦，佛祖大人请告诉我！"

"我要把十八粒金丹砂[44]给我的十八个罗汉[45]。他们会和你一起回到山洞。找到魔鬼。告诉他，你想和他再打一次。当他出来时，我的罗汉会放出丹砂。它会抓住他。他会没有办法动他的手或脚。"

---

[43] 舌头 shétou – tongue
[44] 丹砂 dānshā – cinnabar, mercury sulphide, a naturally occurring bright red ore that can be distilled to produce pure mercury. Daoists believed that through alchemy it could bring immortality.
[45] 罗汉 luóhàn – an arhat. In Buddhism, this is someone who has gained insight into the true nature of existence and achieved nirvana.

"Tài hǎo le, tài hǎo le!" Sūn Wùkōng pāizhe shǒu shuō.

Sūn Wùkōng fēi dào kōngzhōng, shíliù gè luóhàn yě yìqǐ fēi dào kōngzhōng. "Lìngwài liǎng gè luóhàn ne?" tā wèn. Hěn kuài, zuìhòu liǎng gè luóhàn, Lóng Dòushì hé Hǔ Dòushì yě hé tāmen yìqǐ fēi dào kōngzhōng. Ránhòu shíbā gè luóhàn hé Sūn Wùkōng dōu fēi huí dào le Jīn Dòng. Lǐ Tiānwáng, tā de érzi Nǎzhā, qítā de shén hé zhànshì lái jiàn tāmen.

"Nǐ qù le nǎlǐ?" Lǐ wèn.

"Zhè shì yígè hěn zhǎng de gùshì, méiyǒu shíjiān qù jiǎng zhège le," yígè luóhàn shuō. "Wùkōng, qù jiàn jiàn zhège mó guǐ. Wǒmen zài yún shàng děng."

Sūn Wùkōng zǒu dào shāndòng qián, yòng tā de quán qiāodǎ zài mén shàng, hǎn dào, "Chūlái, chūlái, nǐ zhè yòu pàng yòu lǎo de yāoguài. Zàilái hé lǎo hóuzi bǐbǐ!"

Móguǐ zhǐshì zuò zài tā de dòng lǐ. Tā yáotóu shuō, "Nà zhī hóuzi yòu lái le? Měi cì tā hé wǒ dǎ, tā dōu shū le. Tā méiyǒu wǔqì. Tā de péngyǒu méiyǒu wǔqì. Tā wèishénme yìzhí huí

"太好了，太好了！"孙悟空拍着手说。

孙悟空飞到空中，十六个罗汉也一起飞到空中。"另外两个罗汉呢？"他问。很快，最后两个罗汉，龙斗士和虎斗士也和他们一起飞到空中。然后十八个罗汉和孙悟空都飞回到了金洞。李天王、他的儿子哪吒、其他的神和战士来见他们。

"你去了哪里？"李问。

"这是一个很长的故事，没有时间去讲这个了，"一个罗汉说。"悟空，去见见这个魔鬼。我们在云上等。"

孙悟空走到山洞前，用他的拳敲打在门上，喊道，"出来，出来，你这又胖又老的妖怪。再来和老猴子比比！"

魔鬼只是坐在他的洞里。他摇头说，"那只猴子又来了？每次他和我打，他都输了。他没有武器。他的朋友没有武器。他为什么一直回

lái?" Tā màn man zhàn qǐlái, zǒu dào ménkǒu, dǎkāi

mén. "Hǎo ba, nǐ zhège bèn hóuzi. Wǒ zài zhèlǐ. Zhè cì nǐ

xiǎng yào shénme?"

"Rúguǒ nǐ bùxiǎng zàijiàn dào wǒ, jiù shuō yìshēng

duìbùqǐ, bǎ wǒ de shīfu hé wǒ de dìdi huán gěi wǒ."

"Wǒmen gānggāng xǐ wán nǐ de shīfu hé nǐ de

xiōngdìmen. Hěn kuài wǒmen jiù huì bǎ tāmen zuò

chéng fàn, chī le tāmen. Děng wǒmen chī wán le, nǐ néng

bùnéng zǒu kāi, bié zài gěi wǒ máfan le?"

Sūn Wùkōng dǎ móguǐ. Móguǐ yòng tā de chángqiāng dǎ

huíqù. Sūn Wùkōng zuǒ tiào yòu tiào, bì kāi chángqiāng.

Móguǐ xiàng qián zǒu, yícì yòu yícì de gōngjī Sūn

Wùkōng. Hěn kuài, tā jiù dào le dòng wài. Sūn Wùkōng

duì luóhànmen hǎn dào, "Xiànzài!"

Luóhànmen zhàn zài yún shàng, bǎ dānshā dào zài móguǐ

shēnshàng. Dānshā xiàng bái wù yíyàng diào xiàlái. Tā gài

zhù le yíqiè. Móguǐ dītóu kàn, fāxiàn zìjǐ de jiǎo hé tuǐ

dōu bèi mái zài le dānshā lǐ. Tā shìzhe bǎ yìtiáo tuǐ cóng

dānshā lǐ lā chūlái, dàn tā bùnéng dòng.

92

来？"他慢慢站起来，走到门口，打开门。

"好吧，你这个笨猴子。我在这里。这次你想要什么？"

"如果你不想再见到我，就说一声对不起，把我的师父和我的弟弟还给我。"

"我们刚刚洗完你的师父和你的兄弟们。很快我们就会把他们做成饭，吃了他们。等我们吃完了，你能不能走开，别再给我麻烦了？"

孙悟空打魔鬼。魔鬼用他的长枪打回去。孙悟空左跳右跳，避开长枪。魔鬼向前走，一次又一次地攻击孙悟空。很快，他就到了洞外。孙悟空对罗汉们喊道，"现在！"

罗汉们站在云上，把丹砂倒在魔鬼身上。丹砂像白雾一样掉下来。它盖住了一切。魔鬼低头看，发现自己的脚和腿都被埋⁴⁶在了丹砂里。他试着把一条腿从丹砂里拉出来，但他不能动。

---

⁴⁶ 埋　　mái – to bury

Tā ná qǐ bái quān, xiàng kōngzhōng rēng qù, hǎn dào, "Jī zhòng!" Suǒyǒu shíbā lì dānshā mó lì dōu bèi xī jìn quān, xiāoshī bújiàn le. Suǒyǒu de dānshā dōu xiāoshī bújiàn le. Móguǐ zhuǎnshēn zǒu huí le tā de shāndòng.

Sūn Wùkōng fēi shàng yún, hǎn dào, "Nǐ zěnme bù sòngchū dānshā?"

"Wǒmen de jīn dānshā diū le!" yígè luóhàn huídá. "Nàge bái quān bǎ tāmen cóng wǒmen shǒuzhōng xī zǒu le. Xiànzài wǒmen zěnmebàn?"

Lóng Dòushì hé Hǔ Dòushì shuō, "Wǒmen hái yǒu yígè zhǔyì. Zài wǒmen líkāi Léiyīn Sì zhīqián, fózǔ ràng wǒmen děng yì děng. Tā gěi le wǒmen liǎng gè rén tèbié de zhǐshì. Tā shuō, rúguǒ móguǐ yíng le, wǒmen jiù yīnggāi jiào nǐ qù jiàn Tàishàng Lǎojūn. Tā huì zhīdào yīnggāi zěnme zuò."

Sūn Wùkōng xiàozhe shuō, "Fózǔ yě huì gēn wǒ wán yóuxì. Rúguǒ tā zhīdào Tàishàng Lǎojūn kěyǐ bāngzhù wǒmen, tā wèishénme

他拿起白圈，向空中扔去，喊道，"击中！"
所有十八粒丹砂魔粒都被吸进圈，消失不见
了。所有的丹砂都消失不见了。魔鬼转身走回
了他的山洞。

孙悟空飞上云，喊道，"你怎么不送出丹
砂？"

"我们的金丹砂丢了！"一个罗汉回答。"那
个白圈把它们从我们手中吸走了。现在我们怎
么办？"

龙斗士和虎斗士说，"我们还有一个主意。在
我们离开雷音寺之前，佛祖让我们等一等。他
给了我们两个人特别的指示[47]。他说，如果魔鬼
赢了，我们就应该叫你去见太上老君。他会知
道应该怎么做。"

孙悟空笑着说，"佛祖也会跟我玩游戏。如果
他知道太上老君可以帮助我们，他为什么

---

[47] 指示　zhǐshì – to instruct

yào ràng wǒmen shū le zhè chǎng zhàndòu? Hǎo ba, méiguānxì. Wǒ yào qù jiàn Tàishàng Lǎojūn, zuìhòu jiějué zhè jiàn shì." Tā yòng tā de jīndǒu yún, fēi shàng le Nán Tiānmén. Tā hěn zhāojí. Tā méiyǒu tíng xiàlái hé rènhé shìwèi shuōhuà, zhǐshì chuān guo dàmén, zhí zǒu dào sānshísān céng tiān Tàishàng Lǎojūn de jiā.

Liǎng gè niánqīng rén shǒuwèizhe fángzi. Sūn Wùkōng cóng tāmen shēnbiān zǒuguò. Tāmen xiǎng yào zhuā zhù tā, dàn tā bù lǐ tāmen. Tā kàndào le Tàishàng Lǎojūn. Jūgōng shuō, "Xiānshēng, wǒ hǎojiǔ méiyǒu jiàndào nǐ le!"

"Nǐ zhège wúfǎwútiān de húsūn, nǐ zěnme huì zài zhèlǐ? Nǐ yīnggāi bāngzhù nǐ de shīfu qù xīfāng."

"Wǒmen yù dào le yìdiǎn máfan," Sūn Wùkōng huídá. Ránhòu tā kāishǐ zài Tàishàng Lǎojūn de fángzi lǐ kàn le sìzhōu. Fángzi de hòumiàn shì yígè xù lán. Tā shì kōng de. Yígè nánhái zài fùjìn shuìjiào. Sūn Wùkōng duì Tàishàng Lǎojūn shuō, "Xiānshēng, wǒ xiāng

要让我们输了这场战斗？好吧，没关系。我要去见<u>太上老君</u>，最后解决这件事。"他用他的筋斗云，飞上了<u>南天</u>门。他很着急。他没有停下来和任何侍卫说话，只是穿过大门，直走到三十三层天<u>太上老君</u>的家。

两个年轻人守卫着房子。<u>孙悟空</u>从他们身边走过。他们想要抓住他，但他不理[48]他们。他看到了<u>太上老君</u>。鞠躬说，"先生，我好久没有见到你了！"

"你这个无法无天的猢狲，你怎么会在这里？你应该帮助你的师父去西方。"

"我们遇到了一点麻烦，"<u>孙悟空</u>回答。然后他开始在<u>太上老君</u>的房子里看了四周。房子的后面是一个畜栏[49]。它是空的。一个男孩在附近睡觉。<u>孙悟空</u>对<u>太上老君</u>说，"先生，我相

---

[48] 不理　　bù lǐ – to ignore
[49] 畜栏　　xù lán – corral

xìn nǐ de shuǐniú yǐjīng táozǒu le."

"Shénme?" Tàishàng Lǎojūn hǎn dào. Zhè ràng nánhái
xǐng le guòlái. Tā duì Tàishàng Lǎojūn jūgōng shuō,
"Shèng fù, wǒ bù zhīdào nà tóu shuǐniú shì zěnme táo
chū qù de."

"Wǒ zhīdào," Tàishàng Lǎojūn huídá. "Wǒmen zhèngzài
zuò Qī Fǎn Huǒ Dān. Nǐ shìge xiǎotōu. Nǐ tōu le yìdiǎn geǐ
zìjǐ hē le. Zhè jiùshì wèishénme nǐ zài guòqù de qītiān lǐ
yìzhí zài shuìjiào. Nà duàn shíjiān, shuǐniú qù le rén de
shìjiè, zhǎo le hěnduō máfan."

"Hái yǒu bǐ nà gèng huài de," Sūn Wùkōng shuō. "Zhège
shuǐniú móguǐ yǒu yígè bái quān. Tā zhù zài dìqiú shàng,
zhǎo máfan, chī rén."

"Ò, bù," Tàishàng Lǎojūn shuō. "Nà ge bái quān shì wǒ
de Jīn Gāng quān. Tā bǐ wǒ suǒyǒu de wǔqì dōu qiáng,
chú le wǒ de yèzi shàn."

Tàishàng Lǎojūn ná qǐ yè shàn, hé Sūn Wùkōng yìqǐ fēi
xiàqù dào Jīn Dòng. Shíbāluóhàn, èr léishén, Shuǐxīng,
Huǒxīng, Lǐ Tiānwáng

信你的水牛已经逃走了。"

"什么？"太上老君喊道。这让男孩醒了过来。他对太上老君鞠躬说，"圣父，我不知道那头水牛是怎么逃出去的。"

"我知道，"太上老君回答。"我们正在做七返火丹。你是个小偷。你偷了一点给自己喝了。这就是为什么你在过去的七天里一直在睡觉。那段时间，水牛去了人的世界，找了很多麻烦。"

"还有比那更坏的，"孙悟空说。"这个水牛魔鬼有一个白圈。他住在地球上，找麻烦，吃人。"

"哦，不，"太上老君说。"那个白圈是我的金刚圈。它比我所有的武器都强，除了我的叶子扇。"

太上老君拿起叶扇，和孙悟空一起飞下去到金洞。十八罗汉，二雷神，水星，火星，李天王

hé tā de érzi Nǎzhā lái jiàn tāmen. Tāmen jiěshì le
suǒyǒu de shìqing.

"Wùkōng," Tàishàng Lǎojūn shuō, "qǐng nǐ dào shāndòng
lǐ, bǎ wǒ de shuǐniú dài chūlái."

Suǒyǐ, Sūn Wùkōng zàicì zǒu dào dòng mén qián, hǎnzhe
ràng móguǐ chūlái. Móguǐ gāng kāimén, Sūn Wùkōng jiù
pǎo dào tā miànqián, dǎ zài tā liǎn shàng! Móguǐ
fēicháng de shēngqì, zhuīzhe hóuzi.

Móguǐ gāng zǒuchū dòngkǒu, jiù tīngdào yígè shēngyīn
shuō, "Nà shì wǒ de xiǎo shuǐniú ma? Wèishénme tā zài
zhèlǐ, méiyǒu zài tā yīnggāi zài de jiālǐ?"

Dà Shuǐniú Wáng táitóu, kàndào le Tàishàng Lǎojūn.
Tàishàng Lǎojūn huīzhe tā de shànzi, suǒyǒu de lìliàng
dōu líkāi le móguǐ. Móguǐ bǎ tā de bái quān rēng gěi le
Tàishàng Lǎojūn. Tàishàng Lǎojūn hěn róngyì de ná zhù
le, yòu huī le huī tā de shànzi. Xiànzài móguǐ biàn le. Tā
búshì Dà Shuǐniú Wáng le, tā zhǐshì yìtóu pǔtōng de lù
shuǐniú. Tàishàng Lǎojūn huī le huī bái quān. Tā
biànchéng le yígè chuān

和他的儿子哪吒来见他们。他们解释⁵⁰了所有的
事情。

"悟空，"太上老君说，"请你到山洞里，把
我的水牛带出来。"

所以，孙悟空再次走到洞门前，喊着让魔鬼出
来。魔鬼刚开门，孙悟空就跑到他面前，打在
他脸上！魔鬼非常的生气，追着猴子。

魔鬼刚走出洞口，就听到一个声音说，"那是
我的小水牛吗？为什么他在这里，没有在他应
该在的家里？"

大水牛王抬头，看到了太上老君。太上老君挥
着他的扇子，所有的力量都离开了魔鬼。魔鬼
把他的白圈扔给了太上老君。太上老君很容易
地拿住了，又挥了挥他的扇子。现在魔鬼变
了。他不是大水牛王了，他只是一头普通的绿
水牛。太上老君挥了挥白圈。它变成了一个穿

---

⁵⁰ 解释　　jiěshì – to explain

guò shuǐniúbízi de huáng tóng huán. Tàishàng Lǎojūn ná
xià tā de yāodài, bǎng zài huáng tóng huán shàng.
Ránhòu tā pá shàng le shuǐ niú de bèi. Tāmen yìqǐ huí
dào le Tàishàng Lǎojūn zài sānshísān céng tiāngōng de
jiā.

Sūn Wùkōng hé tiānshénmen, zhànshìmen yìqǐ huí dào
le shāndòng zhōng. Tāmen shā sǐ le liú zài nàlǐ suǒyǒu de
xiǎo móguǐ, ná le wǔqì. Lǐ Tiānwáng hé tā de érzi Nǎzhā
huí dào le tiāngōng. Shuǐxīng huí dào le hé lǐ. Huǒxīng huí
dào le tiānkōng. Léishén huí dào le yún zhōng. Shíbā
luóhàn huí dào le Léiyīn Sì.

Sūn Wùkōng zhǎodào le Tángsēng, Zhū hé Shā. Tā sōng
kāi le tāmen. Tāmen zài fùjìn zhǎodào le mǎ hé xínglǐ.
Tāmen yìqǐ líkāi le shāndòng, zàicì kāishǐ xiàng xī zǒu.

Dàn jiù zài tāmen gāng kāishǐ zǒu de shíhòu, tāmen tīng
dào le yígè shēngyīn. Tā shuō, "Ò shèng sēng! Zài nǐ jìxù
nǐ de lǚtú zhīqián, qǐng chī yìdiǎn dōngxi."

Tángsēng tīngdào zhè shēngyīn, fēicháng de hàipà, tā
xiǎng kěnéng shì yòu

过水牛鼻子的黄铜环[51]。太上老君拿下他的腰带，绑在黄铜环上。然后他爬上了水牛的背。他们一起回到了太上老君在三十三层天宫的家。

孙悟空和天神们、战士们一起回到了山洞中。他们杀死了留在那里所有的小魔鬼，拿了武器。李天王和他的儿子哪吒回到了天宫。水星回到了河里。火星回到了天空。雷神回到了云中。十八罗汉回到了雷音寺。

孙悟空找到了唐僧、猪和沙。他松开了他们。他们在附近找到了马和行李。他们一起离开了山洞，再次开始向西走。

但就在他们刚开始走的时候，他们听到了一个声音。它说，"哦圣僧！在你继续你的旅途之前，请吃一点东西。"

唐僧听到这声音，非常的害怕，他想可能是又

---

[51] 环　　　huán – ring, loop

yígè yāoguài huò móguǐ. Dàn nà zhǐshì shānshén hé Jīn
Shān de tǔdì shén. Tāmen duì xíngrén shuō, "Zhè shì dà
shèng qián jǐ tiān yào lái de mǐfàn. Tā xiǎng yào bāngzhù
nǐmen. Tā gàosù nǐmen liú zài quān lǐ, dàn nǐmen méiyǒu
tīng tā de. Zhè jiùshì nǐmen zuìjìn zhèxiē máfan de
yuányīn."

Sūn Wùkōng shuō, "Tāmen shuō dé duì. Zhū, nǐ zhège
bèn kǔlì, shì nǐ hěn bèn de huà gěi shīfu hé wǒmen dài lái
le máfan. Wèi le jiù nǐmen, wǒ bìxū qù jiàn fózǔ."

Tángsēng shuō, "Dà túdì, nǐ shuō dé duì. Cóng xiànzài
kāishǐ, wǒ huì yìzhí tīng nǐ de!"

Tángsēng hé sān gè túdì chī le mǐfàn, xièguò shānshén hé
tǔdì shén. Jiéshù hòu, Tángsēng qíshàng mǎ, kāishǐ wǎng
qián zǒu. Shī zhōng shuō,

> Tāmen de tóunǎo hěn qīngchǔ, méiyǒu dānxīn
> méiyǒu zhāojí
> Tāmen xíngrén zài fēng zhōng chīfàn
> Zài shuǐ biān xiūxi
> Zài tāmen xiàng xī xíngzǒu de shíhòu

一个妖怪或魔鬼。但那只是山神和<u>金</u>山的土地神。他们对行人说，"这是大圣前几天要来的米饭。他想要帮助你们。他告诉你们留在圈里，但你们没有听他的。这就是你们最近这些麻烦的原因。"

<u>孙悟空</u>说，"他们说得对。<u>猪</u>，你这个笨苦力，是你很笨的话给师父和我们带来了麻烦。为了救你们，我必须去见佛祖。"

<u>唐僧</u>说，"大徒弟，你说得对。从现在开始，我会一直听你的！"

<u>唐僧</u>和三个徒弟吃了米饭，谢过山神和土地神。结束后，<u>唐僧</u>骑上马，开始往前走。诗中说，

他们的头脑很清楚，没有担心没有着急
他们行人在风中吃饭
在水边休息
在他们向西行走的时候

The Thieves

Chapter 50

My dear child, do you remember our story from last night? The holy monk Tangseng crossed a wide river on a turtle's back. The turtle also carried the monk's three disciples – the monkey king Sun Wukong, the pig-man Zhu Bajie, and the big quiet man Sha Wujing. The turtle swam six hundred miles across the river in a single day. When they arrived at the river's western shore, Tangseng thanked the turtle. Then they continued walking on the Silk Road westward towards India.

Autumn turned to early winter. Snow began to fall, the weather turned cold. The road became narrow. It climbed upwards towards the top of a mountain. Tangseng's white horse had trouble walking. Finally the horse could not carry the Tang monk any more. Tangseng said to his disciples, "We have arrived at a very tall mountain. I don't think we can continue. What should we do?"

Sun Wukong said, "Let's keep going. Master, please get down off your horse. We must walk." And so they slowly climbed until they reached the top of the mountain. They looked around in all four directions. Ahead of them, to the west, they saw a tall tower. Next to the tower were some small buildings.

"Disciples," said Tangseng, "look! Ahead of us is something. Perhaps it is a monastery, or maybe a small village. I'm hungry. Let's go there and beg some food."

Sun Wukong looked at the village with his diamond eyes. "Please don't go there," he said. "I can see that there is something wrong with that place. There is evil in the air. This is not a good place."

"What's wrong with it?" asked the monk. "There is a tower and some houses. It looks ok to me."

Sun Wukong laughed quietly. "Oh Master, you look but you cannot see. Already we have met many demons on our journey. They can use magic to make any kind of towers and buildings that they wish. You know what the ancients say, 'A dragon can have nine different kinds of offspring.' Demons can make these things. When a traveler comes too close, the demon eats them!"

"All right. We will not go there. But I am quite hungry. Can you go somewhere else and beg some food for us?"

"I will do that, Master. But it is not safe here. Let me protect you." Sun Wukong used his golden hoop rod to draw a large circle on the ground. He told Tangseng and the other two disciples to step inside the circle. He led the white horse inside the circle. Then he picked up the luggage and put it inside the circle too.

"Master, please stay inside this circle. It is as strong as a stone wall. Nothing can come inside this circle. Not tigers, not wolves, not monsters, not demons. As long as you stay here you will be safe. If you step outside the circle, I am afraid that something will kill you and eat you." He paused. "And they will probably eat Zhu and Sha and the white horse too!"

Tangseng agreed to this. He, Zhu and Sha sat down in the circle. "Please don't leave the circle!" said Sun Wukong again. Then he used his cloud somersault to fly into the air. He flew a thousand miles in just a few minutes. Looking down, he saw a village. In the village was a large house surrounded by tall trees. He came down to the ground, walked up to the front gate, and hit the wooden gate with his rod.

A few minutes later an old man opened the gate. He wore an

old robe, straw sandals, and an old wool hat. A small dog ran out the gate and barked at Sun Wukong. The man looked at him and said, "What do you want?"

Sun Wukong held his begging bowl in front of him. "Old father, this poor traveler comes from the land of the Great Tang. I am traveling to the western heaven with my master and two other disciples. We were passing through your region. My master is hungry. I am here to beg for some vegetarian food for us. Can you give us a little rice?"

The man replied, "Young man, you have taken the wrong road. The road to the Western Heaven is a thousand miles north of here."

Sun Wukong laughed. "Yes, old father, you are right. And right now my master is sitting on that road, waiting for me to bring him some food."

"Walking from there to here has taken you at least a week. It will take you another week to get back to him. He will be dead long before you return."

"No, I left him just a short time ago, about the same time it takes you to drink a cup of tea."

The man shouted, "Ghost! Ghost!" He hit Sun Wukong several times on the head with his staff. Sun Wukong just stood without moving as the staff bounced off his head. The man turned and ran inside. He shut the gate and bolted it from inside.

Sun Wukong shouted at him, "Old man, please remember how many times you hit me. Each one will cost you a bowl of rice!" He waited but the old man did not open the gate. So Sun Wukong used his magic to become invisible. He jumped over the gate and walked into the kitchen. He saw a large pot full of delicious rice. He filled his begging bowl with rice. Then he walked outside and used his cloud somersault to go back to Tangseng and the other two disciples.

Now, while Sun Wukong was away, Tangseng and the other two disciples waited inside the circle. Tangseng was getting very hungry. He said to the others, "Where is that monkey? He has been gone for a long time."

Zhu replied, "Who knows? He is probably just playing somewhere. He wants to keep us in this prison, just for fun."

"What do you mean, keep us in prison?"

"Think about it, Master. Do you really think that a circle on the ground would keep out a tiger, or a wolf, or a demon? Of course not. That monkey put us in this circle to play a trick on us. We should just start walking. When the monkey returns, he can easily find us on the road."

Tangseng foolishly agreed with Zhu. They walked out of the circle. They walked down the narrow road until they arrived at the tower. It had a high white wall, with corners that looked like the number eight. There was a large gate with carvings of lovebirds. The gate was painted in five colors. They did not see any people.

"Master," said Zhu, "I don't see anyone. The people must all be inside, keeping warm by a fire. I will go inside and look around."

He walked into the tower. He walked through three large rooms. He came to a large hall with a ceiling two stories high. Near the ceiling were open windows with yellow silk curtains that fluttered in the wind. There was no furniture. The whole building was as quiet as death. "Where are the people?" he thought. "They probably trying to stay warm and are sleeping in their beds."

Zhu continued up to the second floor. He walked into a large room. There was a large bed in the middle of the room. On the bed was large a white skeleton. The skeleton's skull was as big as a jar. The legs were four or five feet long.

He said to the skeleton, "I wonder who you were. Perhaps you were a great general. Now all we see are your bones. You have no family to keep you company, you have no soldiers to burn incense for you. Once you were a great man, now you are just a skeleton!"

Behind the bed was a silk curtain. Zhu saw a light coming from behind the curtains. He walked behind the curtain. He saw that the light was coming from an open window. There was a low table. On the table were three beautiful embroidered silk vests. Without thinking, Zhu picked up the three vests. He walked outside to talk with Tangseng.

"Master," he said, "look what I found." Then he told Tangseng about the rooms, the skeleton, the curtain, and the vests. "There were no people in the house, so I took these vests. Please put on one of them, it will keep you warm."

"No, no, no!" shouted Tangseng. "If you take things, you are a thief. It does not matter if anyone saw you or not. Men might not know, but Heaven knows. As Xuandi said, 'The gods have eyes like lightning.' Quickly, put them back!"

Of course, Zhu did not listen. He put on the vest. Then he gave a vest to Sha, who also put it on. Tangseng watched but said nothing. After a few seconds, though, the vests became extremely tight. Zhu and Sha could not move their arms. They could barely breathe. Tangseng tried to take the vests off them, but he could not.

Then the situation become much worse. A monster spirit lived in a nearby cave and he used the tower to trap foolish travelers. As soon as Zhu and Sha put on the vests, the tower disappeared. The monster told his little demons to grab the three travelers, along with the horse and luggage. The little demons took the three of them to the monster's cave.

The little demons pushed Tangseng to his knees in front of the monster. "Who are you and where did you come from?" he growled. "And why did you take things that belonged to me?"

Tangseng began to cry and said, "This poor monk was sent by the Tang Emperor to journey to the Western Heaven and bring back the Buddha's holy books. We were traveling over a high mountain. I became hungry, so I told my elder disciple to go and beg some food. He told us to wait for him, but foolishly we started walking again. Then my other two disciples saw your vests and took them because they were cold. I told them to put the vests back but they did not listen to me. Please be merciful and let us go, so we can continue our journey to the west. I will always be grateful to you."

The monster just laughed. "Did you really think I would let you go? I have heard of you, Tang monk. I have heard that if someone eats just a little of your flesh their white hair will turn to black, their missing teeth will grow back, and they will become young again. We will soon find out!" Then he told his little demons to tie up all three travelers and sharpen their weapons to prepare for meeting the fourth traveler, Sun Wukong.

Of course, Zhu and Sha were not the only thieves. Sun Wukong also was a thief. He had taken a begging bowl full of rice from the old man. Holding the rice bowl in one hand, he used his cloud somersault to return to the place where he had left the other travelers. He saw the circle on the ground, but it was empty. The travelers were not there.

Sun Wukong started running westward on the road. After running for five or six miles, he heard a sound and stopped. Looking around, he saw an old man and a young servant. "Grandfather," said Sun Wukong, "this poor monk salutes you. I am traveling to the west with my master and two other disciples. My master was hungry so I went to find him some food. When I returned, they were gone. Have you seen them?"

The old man replied, "Did one of the travelers have a long snout and large ears? Was another one tall and a bit ugly? And was there a short fat man with pale skin?"

"Yes, yes, yes!" cried Sun Wukong. "The man with pale skin is my master. The other two are my younger brothers. Where are they?"

"Forget about them and run for your life!" said the old man. "I saw them taking a road that leads to the cave of a powerful demon. This mountain is Golden Mountain. It has a cave called Golden Cave. And living in the cave is Great Buffalo King. If you meet him, you will probably get yourself killed."

Sun Wukong thanked the old man and bowed to him. He was about to give the old man the rice that he had in his begging bowl. But then the old man and the servant changed to their true forms. They both kowtowed to Sun Wukong. "We are the mountain god and the local spirit for this region. We will hold your bowl and rice for the moment. Please use all of your powers to fight the Great Buffalo King."

Sun Wukong was not happy about this. "You stupid ghosts, you should have come sooner and told me about the danger before this monster captured my master. Now matters have become more difficult. I should beat you with my rod. But for now, just hold my rice. I will be right back."

He handed the rice bowl to the mountain god and ran to the mouth of the cave. He shouted, "Little demons, tell your master that the Great Sage Equal to Heaven has arrived! Tell him to send out my master, or he will pay with his life!"

The little demons told the Great Buffalo King that an ugly monkey was at the mouth of the cave. "Oh good, it must be Sun Wukong," said the monster. "Little ones, bring me my lance!" The little demons brought him a twelve foot steel lance.

The monster came out of the cave. He looked like a giant buffalo-man. One large horn came out of his head. He had dark skin, a wide mouth with yellow teeth, and a long tongue that sometimes licked his big nose. In his large strong hands he held the steel lance. "Where is this foolish monkey?" he called.

Sun Wukong walked right up to him and replied, "Here is your grandpa Sun. Give me my master quickly. If you say even half a 'no' you will die so quickly that you won't have time to say where your grave should be."

"Your master is a thief. I will not give him to you. He deserves to be killed and eaten."

"How can you call my master a thief? He is a holy monk, he would never steal anything!"

"Oh yes, he certainly is a thief. There are witnesses. He is a criminal, and soon he will be my dinner."

The two of them shouted at each other for a while, then they stopped talking and started fighting. The monkey king used his golden hoop rod, the monster used his steel lance. They fought for thirty rounds, but neither one could win. The monster was impressed with Sun Wukong's fighting ability, saying, "Marvelous ape! Marvelous ape! Now I see how you caused such trouble in heaven!" Sun Wukong was impressed with the monster's fighting ability, saying, "Marvelous spirit! Marvelous spirit! This monster knows how to use his lance!" And so, they fought for another twenty rounds.

Finally, the monster shouted, "Attack!" All his little demons ran forward to attack Sun Wukong. "Oh, wonderful!" cried Sun Wukong. He threw his golden hoop rod into the air and shouted, "Change!" Instantly the rod changed to a thousand small rods. The small rods came down like rain onto the heads of the little demons. The little demons were terrified. They covered their heads and ran back to the cave.

The monster laughed and shouted, "Now watch my trick!" He took a white hoop from his sleeve and threw it into the air, shouting "Hit!" All the iron rods changed back to a single rod again. That single rod was sucked up by the hoop. It disappeared.

Sun Wukong had no weapon. Quickly he used his cloud somersault to fly away, barely escaping with his life.

Chapter 51

Sun Wukong flew to a safe place on the other side of the mountain. He sat down and cried. He lost his golden hoop rod, his greatest treasure. Now his hands were empty. He had no weapon. His master and his two younger brothers were trapped in the monster's cave. He did not know what to do.

Then he thought of something. "That monster knows me!" he thought. "While we were fighting, he said 'Now I see how you caused such trouble in heaven!' I did not tell him that. So he must know me from long ago when I caused trouble in heaven. He must be a spirit or a star that wanted to live on earth because of a longing for this world. I wonder who he is and where he came from. I must go to heaven to find out."

He used his cloud somersault and soon arrived at the South Heaven Gate. A guard bowed to him and asked, "Where is the Great Sage going?"

"I must see the Jade Emperor," replied Sun Wukong.

Four minsters of heaven arrived, bowed to Sun Wukong, and invited him to join them for tea. "Have you finished your journey to the west with the Tang monk?" asked one of the ministers.

"No," replied Old Monkey. "We are less than halfway to the western heaven. Our trip is taking a long time because of all the demons and monsters we have met on the road. Yesterday we arrived at Golden Mountain. A very dangerous monster lives there. He has captured the Tang monk. I fought with him. He had great powers, and he was able to take my golden hoop rod. I think he might be a spirit from the heavenly worlds who has come down to earth because of longing for the world. I need to know who he is, where he came from, and how I can fight him. I must speak with the Jade Emperor and ask him why he cannot keep the people in his house under control!"

The minister laughed and said, "I see that you are still causing trouble in heaven. OK, I will tell the Jade Emperor you wish to see him."

A short time later, the minister returned and led Sun Wukong to the throne room of the Jade Emperor. Sun Wukong bowed and said, "Your majesty, thank you for seeing me. For several years I have been traveling with the Tang monk towards the western heaven to bring back the Buddha's books. It has been a very slow journey because of all the monsters, demons and wild animals we have met. Now a buffalo monster has captured the Tang monk in the Golden Cave on Golden Mountain. I don't know if my master will be steamed, fried, or boiled. This monster has great powers. Also, this monster knows me but I do not recognize him. I think this monster is really an evil star from heaven who has left the heavens because of longing for the world. Your majesty, only you can help my master. Please help me to learn his name, and send soldiers to arrest him. Old Monkey asks you with great fear and trembling."

One of the ministers was standing nearby. He laughed and said, "Wukong, usually you cause trouble in heaven. Why do you act with such fear today?"

Sun Wukong replied, "Right now I am a monkey with no rod to play with."

The Jade Emperor said Lord Kehan, "Kehan, this monkey has asked us for help. This is my decree. Go with Wukong and learn the name of this evil star. Search all the heavens, talk with all the stars and planets. See if anyone has left these places out of longing for the world. Report to me when you are done."

Lord Kehan and Sun Wukong left the palace and began their search. They spoke with all the ministers. Then they spoke with all the immortals. Then they spoke with all the stars and planets. Then they spoke with the thunder gods and lightning gods. Then they searched the thirty three heavens. Finally they searched the twenty eight houses of the moon. All were in their correct places.

Sun Wukong said to Lord Kehan, "Thank you, Lord Kehan. Old Monkey does not need to return to the palace and disturb the Jade Emperor again. Please go and report to the Emperor. I will wait here."

Lord Kehan reported to the Jade Emperor, "Your majesty, we have traveled to all four corners of your heavenly kingdom. Every star, planet and god is in their correct place. None have left out of longing for the world."

The Jade Emperor replied, "This is my decree. Let Wukong select a few warriors from heaven to help him capture the demon in the world below." Lord Kehan returned to Sun Wukong and told him of the Emperor's decree.

Sun Wukong was silent for a few minutes. He thought to himself, "There are many warriors in heaven but most of them are not as strong as I am. Why should I get help from them? But on the other hand, I cannot defy a decree from the Jade Emperor!"

Lord Kehan understood why Sun Wukong was silent. He said, "Wukong, you must not defy the Emperor's decree! Please select a few warriors from heaven to help you."

Sun Wukong thought about it, then he said, "All right. I want the god-king Li and his son Prince Nata. They are both great warriors. I want them to lead an army of heaven's soldiers. Also, I want two thunder gods. They will watch the fight from a high cloud and throw thunderbolts at the monster, killing him."

Lord Kehan called to the god-king Li, Prince Nata, the two thunder gods, and the army of heavenly soldiers. They all met up with Sun Wukong. Together they went out the South Heaven Gate and returned to Golden Mountain. When they arrived at Golden Cave, Li said to Sun Wukong, "Please let my son begin the fight. He is the greatest warrior in all of heaven."

Sun Wukong and Prince Nata stood outside the cave door. Sun Wukong shouted, "Evil demon, open this door and let my master go!" The little demons ran to tell their master. The demon came out, holding his steel lance. He saw an ugly monkey. Next to the monkey he saw a handsome young boy wearing silver armor.

The monster laughed. "Aha, it's the little boy Nata, third son of Li. What are you doing here?"

Prince Nata replied, "I am here because of the trouble you have caused! The Jade Emperor himself has decreed that I come and arrest you. Let the Tang monk go and come with me."

The monster tried to stab Prince Nata. Nata met the lance with his silver sword. They began to fight. Sun Wukong flew up into the sky and called to the thunder gods, "Quick! Throw your thunderbolts at the monster!"

Nata said some magic words. Instantly he had three heads and six arms. Each arm held a sword. The monster also changed into a monster with three heads and six arms. Each arm held a lance. The prince threw his six swords into the air and shouted, "Change!" The six swords became six thousand swords, all of them flying towards the monster. The monster took out his white hoop and shouted, "Hit!" Instantly all six thousand swords were sucked into the hoop and disappeared. Nata stood there with nothing in his hands. The monster laughed and walked back inside the cave.

One thunder god said to the other, "It's a good thing we did not throw our thunderbolts at that monster! If the monster's hand sucked our thunderbolts into his white hoop, what would we do? We need our thunderbolts to make thunderstorms."

Li, Nata and Sun Wukong discussed the matter. Sun Wukong said, "We must find a weapon that cannot be sucked into that white hoop."

Li said, "Only water and fire can resist being sucked away, because their power has no limits."

"Of course, you are right!" replied Sun Wukong. He jumped

into the air and used his cloud somersault to go up to heaven and through the South Heavenly Gate. This time he did not go to see the Jade Emperor. He went to see Mars, the star of fire. Mars came out to meet him and said, "Why are you here again? You were here yesterday. I told you that nobody from my house has gone to earth. Why did you come back?"

"We need your help."

"How can I help you? The great Prince Nata has defeated the demons of ninety six caves. If he cannot defeat this monster, how can I?"

"The monster has a magic hoop that can suck up any weapon. It has already sucked my golden hoop rod and Prince Nata's sword. We don't know what it is. But fire can destroy anything. Please come with us. Start a fire that will burn up the demon. You must save my master!"

Mars agreed. He returned with Sun Wukong to the Golden Cave. This time, Li himself stood in front of the cave and shouted at the monster to come out. The monster came out and saw Li. "So, you are unhappy because I took your little boy's sword? Too bad!" He laughed.

The god-king Li replied, "No, I am here to arrest you. Give me the Tang monk!" Of course the monster did not give Tangseng to him. They began to fight. Sun Wukong flew up to the clouds and told Mars, "Get ready to use your fire on the monster!"

Li fought with the monster. Then he saw the monster take out the white hoop. Li did not wait. He flew away. "Quick, use your fire!" shouted Sun Wukong to Mars. Mars threw a huge fireball at the monster. Inside the fireball were five fire dragons, five fire horses, and five fire birds. The monster raised up his white hoop. The fireball was sucked into the hoop. It disappeared. All the dragons, horses and birds disappeared. The monster turned and walked back into his cave.

Sadly, Mars sat down on the ground. "I have lost my fire," he said. "What can I do now?"

"Just wait," said Sun Wukong. "We all know that water can defeat fire." He flew up to the Northern Heaven Gate to ask the Star of Water to help. "Please bring water. Flood the cave. Drown the monster!"

"Of course I can do that," replied the Star of Water, "but that will also drown your master."

"Don't worry about that, I can bring him back from death."

"All right," the Star of Water replied. He took a chalice from his robe and held it up. "This chalice looks small. But it can hold the entire Yellow River."

Sun Wukong laughed. "I think half a chalice will be quite enough! Come with me to the Golden Cave. As soon as the monster opens the cave door, pour the water into the cave. Don't wait for the fight to start."

Sun Wukong went up to the cave door and called to the monster to come out. The monster opened the door. The Star of Water opened his chalice. Half the water from the Yellow River poured out of the chalice. Quickly the monster lifted his white hoop and sucked up all the water. Then the water came out of the other side of the hoop. It rushed out of the cave and onto the mountain. Sun Wukong and the Star of Water had to leap into the air to avoid the rushing water. The water became a flood, covering the land for miles around. It covered roads, villages and farms. "This is bad," said Sun Wukong. "The monster is not troubled by this at all, but look at all the trouble we have caused."

He became really angry. He ran back to the cave door and pounded on it with his fists. "Come out, you evil monster. I don't need my rod, I will fight you with my fists!"

"Your fists are as small as walnuts," said the monster. "But if you want to fight with your fists, we will fight." He threw away his lance and began to fight bare-handed with Sun Wukong. They fought for a long time, each one using his fists and feet to hit the other. God-king Li, Prince Nata, Mars, the Star of Water and the two thunder gods all watched from nearby and shouted at them. Hundreds of little demons also shouted and beat their drums. Sun Wukong pulled fifty hairs from his head and shouted "Change." The hairs changed to fifty little monkeys. They all attacked the monster, biting and scratching and kicking him.

The monster became a little frightened. He took out his white hoop. When Sun Wukong and the others saw this, they flew away. All fifty little monkeys were sucked into the hoop. The fight was over. The monster walked back into the cave, laughing.

Sun Wukong went back to talk with the others. He said, "What do you think of the monster's fighting ability?"

Li replied, "He is not as good as you, Wukong. But he has the white hoop. He cannot lose a fight. If you cannot beat him in a fight, you must steal his treasure! You are quite good at stealing things. I know that you stole Laozi's elixir from his house in heaven many centuries ago. Now you must steal the hoop."

"Good idea!" said Sun Wukong. He changed into a tiny insect and crawled inside the cave. He saw hundreds of little demons, all dancing and singing. The Great Buffalo King was sitting in a large chair, drinking wine and eating. Sun Wukong flew around the cave looking for the hoop. He did not see it. But in the back of the cave he saw the five fire horses, five fire dragons and five fire birds. Next to them was the golden hoop rod. Sun Wukong changed back to his true form and grabbed the rod. He turned and fought his way out of the cave.

Chapter 52

Sun Wukong returned to the place where the gods were waiting for him. They asked him what happened. He replied, "I changed into a tiny insect and entered the cave. I saw the monster eating and drinking and talking with his little demons. Then I heard the sound of horses coming from the back of the cave. I went back there and found my golden hoop rod. Then I used the rod to fight my way out of the cave."

"We are glad you have your treasure," said the gods, "but what about our treasures?"

"Don't worry, I will get them back for you," said Sun Wukong. Just then he heard a crowd of people coming down the road towards him. In front of the crowd was the Great Buffalo King himself. Behind him were hundreds of little demons. "Stupid demon, where are you going" shouted Sun Wukong.

"You little thief!" shouted the monster. "You took my treasures. How dare you!"

"You are the thief! You stole my treasures with your white hoop. You also stole the treasures of my friends. Don't run away. Have a taste of Old Monkey's rod!"

They began to fight again. Three hours later they were still fighting. Neither one could win. The day was nearly finished. "Wukong," said the monster, "let's stop this for now. We can continue our fight tomorrow morning."

"Shut up, you lawless monster!" said Sun Wukong. "I don't care if it's getting late. I want to find out who is a better fighter." But the monster turned and ran back into his cave. His little demons followed him. Then he closed the cave door and locked it tight.

The god-king Li said to Sun Wukong, "Well, that's all for today. Let's rest for the night and start fighting again tomorrow."

"Forget it," said Sun Wukong. "Now is the best time for me to go back inside the cave. The monster is tired. He will not be looking for me. And of course you know that night is the best time to be a thief! Now is the best time for me to go into the cave and look around. Maybe I can grab some of your treasures."

The monkey king changed into a small insect again. He crawled into the cave. He saw the monster sleeping in his bed. The monster's white hoop was wrapped around his upper arm like an armlet. "Ah, that monster is careful!" Sun Wukong thought. Then he changed into a flea. He crawled under the blanket and bit the monster on the arm. The monster jumped up but he kept the hoop on his arm. "Well, that won't work," thought Sun Wukong.

So he flew into another room in the cave. He saw that it was ~~brighly~~ brightly lit. Inside the room were the weapons that the monster had taken from the gods. Then he saw a little pile of about fifty monkey hairs on a table. "Oh, good!" he thought. He changed back to his true form. He picked up the hairs, blew on them, and whispered, "Change!" All fifty hairs changed into fifty small monkeys. Some monkeys picked up weapons. Other monkeys went into the back of the cave and picked up the five fire horses, the five fire dragons, and the five fire birds. To distract the little demons Sun Wukong started a

124

fire. The little demons were terrified of the fire and tried to put it out. While they were doing that, Sun Wukong and the fifty little monkeys ran out of the cave with the treasures.

The Great Buffalo King woke up. He jumped out of bed. He ran around the cave, using his white hoop to capture the fire. Every time he held out the hoop, fire was sucked into it and disappeared. Finally, all the fire was gone. "That thieving monkey did this!" he shouted. "I will find him and kill him!"

The next morning, Sun Wukong and the gods returned to the cave. "Lawless demon," he shouted, "Come and fight with Old Monkey!"

"Monkey, you are an arsonist and a thief!" replied the monster. "Why do you think you can win a fight with me?"

"Oh, you lawless monster," said Sun Wukong. "Let me tell you my story.

> I have been a great fighter since my birth
> When I was young I studied with a great sage
> I learned how to use the power of heaven
> The cloud somersault, the golden hoop rod
> All of earth and heaven was mine
> I fought tigers on the mountain
> I fought dragons in the ocean
> On Flower Fruit Mountain I had a throne
> In Water Curtain Cave I had a home
> But wanting more I flew to heaven
> Foolishly I stole from the world above
> I became the Great Sage Equal to Heaven
> The Handsome Monkey King
> One day there was a peach festival
> I was not invited but I came anyway
> I ate all the food, I drank all the wine

The Jade Emperor saw my evil deeds
He sent an army but I defeated them
Finally the great Laozi caught me
He put me in a brazier for forty nine days
I came out as strong as steel
As hard as diamond
As strong as a tiger!
The gods themselves were afraid of me
Then the Buddha himself tricked me
He trapped me for five hundred years
No food but fire, no drink but hot iron
Until the Tang monk released me
and the Bodhisattva Guanyin taught me
Now I go west with the Tang monk
Release the monk, you lawless demon
Release the monk, bow to the Buddha!"

The monster listened, then he said, "So, you are the thief who stole treasures from heaven! Your life is finished. Prepare to die!" They began to fight. All the gods and warriors of heaven fought against the monster. But this fight ended the same way that the other fights did. The monster just held his white hoop, said the word "Hit," and all of the weapons were sucked into the hoop and disappeared. Sun Wukong and the gods were empty-handed again.

The gods were very unhappy, but Sun Wukong smiled and said, "Please don't be unhappy. You know what the ancients say, 'Victory and defeat are both common for a soldier.' I will find out who this monster is. I have already gone to heaven and asked the Jade Emperor. I have searched all through heaven but I have not found out who the monster is. Now I must look somewhere else."

"Where will you go?" asked the god-king Li.

"I will go all the way to the western heaven and I will ask the Buddha himself. He knows everything. He can help us."

"If you want to go, then go quickly," said Li.

Sun Wukong used his cloud somersault, and in a few minutes he arrived at the western heaven. He saw a beautiful little village at the foot of a very tall mountain. Flowers were everywhere, birds were singing, and a soft wind blew through the trees. He could hear the sound of bells and flowing waters. Holy men and women were teaching their students under great old trees, while others walked slowly on the paths. This was truly a place filled with the Buddha's spirit.

Sun Wukong just stood, looking at the beautiful place. Then he heard someone speaking to him. He turned around and saw the Bodhisattva Bhikkuni. He said to her, "I have an important matter that I must discuss with the Buddha himself."

Bhikkuni replied, "If you want to see the Buddha, you must go to Thunderclap Monastery at the top of this mountain. Follow me." They flew to the gate of Thunderclap Monastery at the top of the mountain. It was guarded by eight Diamond Guardians. Bhikkuni said to them, "Sun Wukong needs to see the great Buddha." The Diamond Guardians moved aside to let them enter.

The Buddha was sitting under a tree with his legs crossed. He wore a yellow robe and sandals. He looked at Sun Wukong and said, "Wukong, I heard that the Tang monk released you from the prison where I put you five hundred years ago. I also heard that you have changed, and you are now helping the Tang monk travel here to Thunderclap Monastery. But why are you here alone?"

Sun Wukong touched his head to the ground. He said, "Let me tell the Buddha my story. Your disciple now follows your path.

I am helping the Tang monk to come to this place. It is a very difficult journey. We have been traveling for several years. We have met many demons, monsters and wild animals. Recently we arrived at Golden Mountain where we met the Great Buffalo King. He is an evil demon. He captured my master. He has a powerful weapon, a white hoop. It can make any weapon disappear. He has defeated me and also the greatest warriors of heaven. The demon is holding my master and plans to eat him soon.

"I believe that this demon has left heaven out of longing for the world. But I do not know who he is or how to defeat him. I have traveled to heaven to ask the Jade Emperor himself, but he could not help me. Now I ask you to tell me the true name of this demon, where he comes from, and how I can defeat him."

The Buddha sat for a minute. He used his wisdom eye to look into the distance. Soon he understood the whole matter. He said to Sun Wukong, "Now I know the name of this demon. But I will not tell you, because you have the tongue of a monkey and you will talk too much. If you tell the demon that I helped you, he will just start an argument here in Thunderclap Monastery. That would cause me a lot of trouble. That is why I will not tell you. However, I will help you in a different way."

Sun Wukong, kowtowed again and replied, "Please tell me, O great one!"

"I will give eighteen grains of golden cinnabar sand to my eighteen arhats. They will go with you back to the cave. Find the demon. Tell him that you want to fight him again. When he comes out, my arhats will release the cinnabar sand. It will trap him. He will not be able to move his hands or feet."

"Wonderful, wonderful!" said Sun Wukong, clapping his hands.

Sun Wukong flew into the air, joined by sixteen arhats. "Where are the other two arhats?" he asked. Soon the last two arhats, Dragon Fighter and Tiger Fighter, joined them. Then all eighteen arhats and Sun Wukong flew back to Golden Cave. They were met by the god-king Li, his son Nata, and the other gods and warriors.

"Where were you?" asked Li.

"It's a long story, no time to explain," said one of the arhats. "Wukong, go and meet this demon. We will wait in the clouds."

Sun Wukong walked up to the cave, banged his fist on the door, and shouted, "Come out, come out, you fat old monster. Try your hand against Old Monkey again!"

The demon just sat in his cave. He shook his head and said, "That monkey is here again? Every time he fights me he loses. He has no weapons. His friends have no weapons. Why does he keep coming back?" Slowly he stood up, walked to the door, and opened it. "All right, you stupid monkey. I am here. What do you want this time?"

"If you don't want to see me again, just say you are sorry and give me back my Master and my younger brothers."

"We have just finished washing your master and your brothers. Soon we will cook and eat them. After we eat them, will you finally go away and stop bothering me?"

Sun Wukong attacked the demon. The demon used his lance to fight back. Sun Wukong moved left and right to avoid the lance. The demon moved forward, attacking again and again. Soon he was outside of the cave. Sun Wukong shouted to the arhats, "Now!"

The arhats stood on a cloud and poured sand down on the demon. The sand fell like a white fog. It covered everything. The demon looked down and saw that his feet and legs were buried in the sand. He tried to pull one leg out of the sand but he could not move it. He grabbed his white hoop, threw it in the air, and shouted, "Hit!" All eighteen magic grains of cinnabar sand were sucked into the hoop and disappeared. All the sand disappeared. The demon turned and walked back into his cave.

Sun Wukong flew up to the cloud and shouted, "Why did you stop sending the sand?"

"We lost our golden cinnabar!" replied one of the arhats. "That white hoop sucked them right out of our hands. Now what do we do?"

Dragon Fighter and Tiger Fighter said, "We have one more idea. Before we left Thunderclap Monastery, the Buddha told us to wait. He gave special instructions to the two of us. He said that if the demon won the fight, we should tell you to go and see Laozi. He will know what to do."

Sun Wukong laughed and said, "So, even the great Buddha is playing games with me. If he knew that Laozi could help us, why did he let us lose this fight? Well, no matter. I will go see Laozi and finally settle this matter." He used his cloud somersault to fly up to the South Heaven Gate. He was in a hurry. He did not stop to talk with any of the guards, but went through the gate and right up to Laozi's house in the thirty third heaven.

Two young men were guarding the house. Sun Wukong walked right past them. They tried to grab him but he ignored them. He saw Laozi. Bowing, he said, "Sir, I haven't seen you for a while!"

"You lawless ape, why are you here? You should be helping your master travel to the west."

"We ran into a bit of a problem," replied Sun Wukong. Then he started looking around Laozi's house. In the back of the house was a corral. It was empty. A boy was sleeping nearby. Sun Wukong said to Laozi, "Sir, I believe your buffalo has escaped."

"What?" shouted Laozi. This caused the boy to wake up. He bowed to Laozi and said, "Great father, I don't know how the buffalo escaped."

"I know," replied Laozi. "We were making the Elixir of Seven Returns to the Fire. You are a thief. You stole a little bit for yourself and drank it. That is why you have been sleeping for the past seven days. During that time, the buffalo has been in the world of men, causing a lot of trouble."

"It's worse than that," said Sun Wukong. "This buffalo demon has a white hoop. He is living on earth, causing trouble and eating people."

"Oh, no," said Laozi. "That white hoop is my diamond snare. It is stronger than any weapon I have except for my leaf fan."

Laozi picked up his leaf fan, and together with Sun Wukong he flew down to Golden Cave. They were met by the eighteen arhats, the two thunder gods, the Star of Water, the Star of Fire, the god-king Li and his son Nata. They explained everything.

"Wukong," said Laozi, "please go to the cave and get my buffalo to come out."

So again, Sun Wukong went to the cave door and shouted at the demon to come out. As soon as the demon opened the door, Sun Wukong ran right up to him and slapped him on the face! Furious, the demon chased after the monkey.

As soon as the demon was outside the cave, he heard a voice saying, "Is that my little buffalo? Why is he here, and not at home where he should be?"

The Great Buffalo King looked up and saw Laozi. Laozi waved his fan and all the strength left the demon. The demon threw his white hoop at Laozi. Laozi caught it easily and waved his fan again. Now the demon changed; he was not the Great Buffalo King, he was just an ordinary green buffalo. Laozi waved the white hoop. It changed into a brass ring that went through the buffalo's nose. Laozi took off his belt and tied it to the brass ring. Then he climbed onto the back of the buffalo. They rode away together back to Laozi's home in the thirty third heaven.

Sun Wukong and the other gods and warriors went back into the cave. They killed the rest of the little demons and grabbed the weapons. The god-king Li and his son Nata returned to heaven. The Star of Water returned to the river. The Star of Fire returned to the sky. The thunder gods returned to the clouds. The eighteen arhats returned to Thunderclap Monastery.

Sun Wukong found Tangseng, Zhu and Sha. He untied them. They found the horse and the luggage nearby. Together, they left the cave and began walking westward again.

But just as they started walking, they heard a voice. It said, "O holy monk! Before you continue on your journey, please eat a little food."

Tangseng heard the voice and was frightened, thinking that it might be another monster or demon. But it was just the mountain god and the local spirit of Golden Mountain. They said to the travelers, "This is the rice that the Great Sage begged several days ago. He was trying to help you. He told you to stay in the circle but you did not listen to him. That was the reason for your recent troubles."

Sun Wukong said, "They are right. Zhu, you stupid coolie, it was your foolish words that brought this trouble to Master and the rest of us. I had to go and see the Buddha himself to save you."

Tangseng said, "Elder disciple, you are right. From now on I will always listen to you!"

Tangseng and the three disciples ate the rice and thanked the mountain god and local spirit. When they were finished, Tangseng mounted his horse and they began walking. The poem says,

> Their minds clear and free of worries
> The travelers dined on wind
> And rested by the waters
> As they journeyed to the west

Proper Nouns

These are all the Chinese proper nouns used in this book.

Pinyin	Chinese	English
Bǐqiūní	比丘尼	Bhikkuni, a Bodhisattva
Dà Shuǐniú Wáng	大水牛王	Great Buffalo King, a demon
Guānyīn	观音	Guanyin, a Bodhisattva
Hǔ Dòushì	虎斗士	Tiger Fighter, an immortal
Huāguǒ Shān	花果山	Flower Fruit Mountain
Huáng Hé	黄河	Yellow River
Huǒxīng	火星	Star of Fire (Mars), an immortal
Jīn Dòng	金洞	Golden Cave
Jīn Gāng	金刚	Diamond Guardian, an immortal
Jīn Shān	金山	Golden Mountain
Kěhán Jūn	可韩君	Lord Kehan, an immortal
Léiyīn Sì	雷音寺	Thunderclap Monastery
Lǐ Tiānwáng	李天王	God King Li, an immortal
Lóng Dòushì	龙斗士	Dragon Fighter, an immortal
Nán Tiānmén	南天门	South Heaven Gate
Nǎzhā Tàizǐ	哪吒太子	Prince Nata, an immortal
Qī Fǎn Huǒ Dān	七返火丹	Elixir of Seven Returns to the Fire
Qí Tiān Dà Shèng	齐天大圣	Great Sage Equal to Heaven, a title for Sun Wukong
Shā (Wújìng)	沙（悟净）	Sha Wujing, Tangseng's third disciple
Shuǐlián Dòng	水帘洞	Water Curtain Cave
Shuǐxīng	水星	Star of Water, an immortal
Sīchóu Zhī Lù	丝绸之路	Silk Road
Sūn Wùkōng	孙悟空	Sun Wukong, Tangseng's senior disciple
Tàishàng Lǎojūn	太上老君	Laozi, an immortal

Táng	唐	Tang, a kingdom
Tángsēng	唐僧	Tangseng, a Buddhist monk
Wùkōng	悟空	a familiar name for Sun Wukong
Xuándì	玄帝	Xuandi, an immortal
Yìndù	印度	India
Yùhuáng Dàdì	玉皇大帝	Jade Emperor, an immortal
Zhū (Bājié)	猪 (八戒)	Zhu Bajie, Tangseng's second disciple

Glossary

These are all the Chinese words (other than proper nouns) used in this book.

Pinyin	Chinese	English
a	啊	ah, oh, what
ǎi	矮	short
ǎi pàng	矮胖	squat
àiqíng	爱情	love
àn	岸	shore
ānjìng	安静	quietly
ānquán	安全	safety
ba	吧	(indicates assumption or suggestion)
bá	拔	to pull
bǎ	把	(preposition introducing the object of a verb)
bǎ	把	to hold, to guard, a bundle
bā	八	eight
bǎ	把	(measure word for gripped objects)
bái	白	white
bǎi	百	hundred
bàn	半	half
bànfǎ	办法	method
bàng	棒	rod
bǎng	绑	to tie up
bāng (zhù)	帮 (助)	to help
bāngmáng	帮忙	to help
bǎobèi	宝贝	treasure, baby
bǎochí	保持	to keep
bàogào	报告	report

bǎohù	保护	to protect
bǎozuò	宝座	throne
bèi	背	back
bèi	被	(particle before passive verb)
běi	北	north
bēi	背	to carry on back
bēi (zi)	杯(子)	cup
bèixīn	背心	vest
bèizi	被子	quilt
bèn	笨	stupid, a fool
běn (lái)	本(来)	originally
bì	臂	arm
bǐ	比	compared to, than
bì (kāi)	避(开)	to avoid
bì zuǐ	闭嘴	shut up
biàn	变	to change
biān	边	side
biànchéng	变成	to become
bié	别	do not
biéde	别的	other
bìxià	陛下	Your Majesty
bìxū	必须	must, have to
bízi	鼻子	nose
bù	不	no, not, do not
bù lǐ	不理	to ignore
bù yī huǐ'er	不一会儿	soon
bùjiǔ	不久	not long ago, soon
bùliǎo	不了	no more
bùxíng	不行	won't work
búzàihū	不在乎	not give a damn about
cái	才	only

cáinéng	才能	can only, ability, talent
cǎo	草	grass, straw
céng	层	(measure word for a layered object)
chá	茶	tea
chàbùduō	差不多	almost
cháng	长	long
chǎng	场	(measure word for public events)
chàng (gē)	唱（歌）	to sing
chángqiāng	长枪	lance, spear
chǎo	炒	to stir fry
chéng (wéi)	成（为）	to become
chǐ	尺	Chinese foot
chī (fàn)	吃(饭)	to eat a meal
chījīng	吃惊	to be surprised
chōng	冲	to rise up, to rush, to wash out
chóng (zi)	虫(子)	insect
chǒu	丑	ugly
chú	除	to remove, to divide, to set apart
chū	出	out
chuān	穿	to wear
chuán	传	to pass on, to transmit
chuáng	床	bed
chuāng (hù)	窗(户)	window
chuānglián	窗帘	curtain
chuānguò	穿过	to pass through
chúfáng	厨房	kitchen
chuī	吹	to blow
chūshēng	出生	born
cì	刺	to stab

cì	次	(next in a sequence), (measure word for time)
cóng	从	from
cūn (zhuāng)	村(庄)	village
dà	大	big
dǎ	打	to hit, to play
dǎbài	打败	defeat
dàchén	大臣	minister
dàdiàn	大殿	main hall
dài	带	to bring
dài	戴	to wear
dàjiàng	大将	general, high ranking officer
dǎkāi	打开	to turn on, to open
dàn (shì)	但(是)	but
dāng	当	when
dāngrán	当然	of course
dǎngzhù	挡住	to block
dānshā	丹砂	cinnabar
dānxīn	担心	to worry
dào	倒	to fall
dào	到	to
dào	道	path, way, Dao, to say
dàoxiè	道谢	to thank
dǎsuàn	打算	to intend
de	地	(adverbial particle)
de	的	of
dé	得	(particle showing degree or possibility)
dé (dào)	得 (到)	to get
děng	等	to wait
dēng	灯	light
dì	帝	emperor

dì	第	(prefix before a number)
diǎn	点	point, hour
diào	掉	to fall, to drop, to lose
diāokè	雕刻	to carve
dìdi	弟弟	younger brother
dìfāng	地方	local
dǐng	顶	top
dìqiú	地球	earth
dìshàng	地上	on the ground
dītóu	低头	head bowed
diū	丢	to throw
dòng	动	to move
dòng	洞	cave, hole
dōng (tiān)	冬 (天)	winter
dòngwù	动物	animal
dōngxi	东西	thing
dōu	都	all
duàn	段	(measure word for sections)
duǎn	短	short
duì	对	correct, towards
duī	堆	heap
duìbùqǐ	对不起	I am sorry
duō	多	many
duōshǎo	多少	how many
è	饿	hungry
èmó	恶魔	evil demon
èr	二	two
ěr (duo)	耳 (朵)	ear
érzi	儿子	son
fā (chū)	发 (出)	to send out
fādǒu	发抖	to tremble, to shiver

fǎlìng	法令	decree
fàn	饭	cooked rice, a meal
fàng	放	to put, to let out
fāngfǎ	方法	method
fángjiān	房间	room
fángzi	房子	house
fāshēng	发生	to occur
fāxiàn	发现	to find
fēi	飞	to fly
fēicháng	非常	very much
fēixíng	飞行	flight
fēn (zhōng)	分 (钟)	minute
fēn xīn	分心	distracted
fēng	风	wind
fénmù	坟墓	grave
fózǔ	佛祖	Buddha
fù	付	to pay
fù	副	(measure word for pair of complementary objects)
fùjìn	附近	nearby
gài	盖	to cover
gǎn	敢	to dare
gān	干	dry, to dry
gǎn (dào)	感 (到)	to feel
gāng	刚	just
gāng (tiě)	钢 (铁)	steel
gǎnxiè	感谢	to thank
gāo	高	tall, high
gàosù	告诉	to tell
gāoxìng	高兴	happy
gè	个	(measure word, generic)

gē	歌	song
gěi	给	to give
gēn	根	(measure word, long thin things)
gēn (zhe)	跟 (着)	with, to follow
gèng (duō)	更 (多)	more
gong (diàn)	宫 (殿)	palace
gōngjī	攻击	to attack
gǒu	狗	dog
gǔ	古	ancient
gǔ	鼓	drum
guǎizhàng	拐杖	staff, crutch
guān	关	to turn off
guāng	光	light
guānshàng	关上	to close
guànzi	罐子	jar
guì	跪	to kneel
guǐ (guài)	鬼 (怪)	ghost
guò	过	to pass, (after verb to indicate past tense)
guō (zi)	锅 (子)	pot
gùshì	故事	story
gǔtóu	骨头	bone
hā	哈	ha!
hái	还	still, also
hǎi	海	ocean, sea
hái yǒu	还有	and also
hàipà	害怕	scared
háishì	还是	still is
háizi	孩子	child
hǎn	喊	to shout
hǎo	好	good, very

hǎojiǔ	好久	long time
hé	和	and, with
hé	河	river
hē	喝	to drink
hēi	黑	black
hěn	很	very
héshang	和尚	monk
hétáo	核桃	walnut
hóngshuǐ	洪水	flood
hòu	后	after, back, behind
hóu (zi)	猴(子)	monkey
hòudài	后代	offspring
hòulái	后来	later
hòumiàn	后面	behind
huà	画	painting
huà	话	word, speak
huā	花	flower, to spend
huài	坏	bad
huán	环	ring
huán	还	to return
huáng tóng	黄铜	brass
huángdì	皇帝	emperor
huāngyě	荒野	wilderness
huí	回	to return
huì	会	will, to be able to
huī	挥	wave
huídá	回答	to reply
huǐhuài	毁坏	to smash, to destroy
huó	活	to live
huǒ	火	fire
huò (zhě)	或(者)	or

huǒpén	火盆	brazier
húsūn	猢狲	ape
hūxī	呼吸	to breathe
jǐ	几	several
jī zhòng	击中	to hit a target
jì zhù	记住	to remember
jiā	家	home
jiājù	家具	furniture
jiàn	件	(measure word for clothing, matters)
jiàn	剑	sword
jiàn	见	to see
jiǎng	讲	to speak
jiānyù	监狱	prison
jiào	叫	to call, to yell
jiǎo	脚	foot
jiǎo	角	horn
jiāo (huì)	教(会)	to teach
jiǎoluò	角落	corner
jiārén	家人	family member
jìdé	记得	to remember
jié	节	festival
jiē (zhù)	接(住)	to catch
jiějué	解决	to solve, settle, resolve
jiěshì	解释	to explain
jiéshù	结束	end, finish
jīhū	几乎	almost
jíle	极了	extremely
jìn	近	close
jìn	进	to enter
jǐn	紧	tight

jīn	金	gold
jīn gū bàng	金箍棒	golden hoop rod
jīndǒu yún	筋斗云	cloud somersault
jīngcháng	经常	often
jīngguò	经过	through
jīngshén	精神	spirit
jìnrù	进入	to enter
jīntiān	今天	today
jiù	就	just, right now
jiù	救	to save, to rescue
jiù	旧	old
jiǔ	久	long
jiǔ	九	nine
jiǔ	酒	wine, liquor
jìxù	继续	to carry on
jǔ (qǐ)	举（起）	to lift
juédé	觉得	to feel
jūgōng	鞠躬	to bow down
jūnduì	军队	army
kāi	开	open
kāishǐ	开始	to begin
kàn	看	to look
kàn shàngqù	看上去	it looks like
kànjiàn	看见	to see
kǎo	烤	to bake
kē	颗	(measure word for small objects)
kělián	可怜	pathetic
kěnéng	可能	may
kěshì	可是	but
kěyǐ	可以	can

kōngqì	空气	air
kōngshǒu	空手	empty-handed
kòngzhì	控制	control
kòutóu	叩头	to kowtow
kū	哭	to cry
kuài	快	quick
kuài diǎn	快点	hurry up
kuān	宽	width
kuījiǎ	盔甲	armor
kǔlì	苦力	coolie, unskilled laborer
kūlóu	骷髅	skeleton
kùnnán	困难	difficulty
lái	来	to come
láng	狼	wolf
lǎo	老	old
lǎohǔ	老虎	tiger
le	了	(indicates completion)
léi	雷	thunder
lèi	累	tired
léiyǔ	雷雨	thunderstorm
lěng	冷	cold
lí	离	from, away
lì	粒	(measure word for small grains)
lǐ	里	in
liǎn	脸	face
liǎng	两	two
liǎngshǒukōngkōng	两手空空	empty-handed
liǎojiě	了解	to learn
lìhài	厉害	sharp
líkāi	离开	to go away

lìliàng	力量	strength
lǐmiàn	里面	in
lìng yī fāngmiàn	另一方面	on the other hand
lìngwài	另外	in addition
liú	流	to flow
liù	六	six
liú (xià)	留（下）	to keep, to leave behind, to stay
lóng	龙	dragon
lóu	楼	building
lù	路	road
lǜ (sè)	绿（色）	green
luóhàn	罗汉	arhat
lǚtú	旅途	journey
ma	吗	(indicates question)
mǎ	马	horse
máfan	麻烦	trouble
mái	埋	to bury
màn	慢	slow
mǎn	满	full
máo	毛	hair
màozi	帽子	hat
mǎshàng	马上	immediately
méi	没	no
měi	每	each
měi (lì)	美（丽）	beautiful
méiguānxì	没关系	no problem
méiyǒu	没有	not have
men	们	(indicates plural)
mén	门	door, gate
miàn	面	side, surface, noodles, face

miànduìmiàn	面对面	face to face
miànqián	面前	in front
miǎnqiáng	勉强	reluctantly
miè	灭	to extinguish
mǐfàn	米饭	cooked rice
míng (zì)	名 (字)	name
míngbái	明白	to understand
míngliàng	明亮	bright
míngrì	明日	tomorrow
míngtiān	明天	tomorrow
mó (fǎ)	魔 (法)	magic
móguǐ	魔鬼	demon
mólì	磨砺	to sharpen
mù	木	wood
ná	拿	to take
nà	那	that
nǎ	哪	which?
nà lǐ	那里	there
nǎ lǐ	哪里	where?
ná qǐ	拿起	to pick up
ná xià	拿下	to take down
nàme	那么	so then
nán	男	male
nánhái	男孩	boy
nàyàng	那样	like that
ne	呢	(indicates question)
néng	能	can
nénglì	能力	ability
nǐ	你	you
nǐ hǎo	你好	hello
nián	年	year

niánqīng	年轻	young
niǎo	鸟	bird
nín	您	you (respectful)
niú	牛	cow, bull
nòng	弄	to do
nóngtián	农田	farmland
nǚ	女	female
ó, ò	哦	oh?, oh!
pá	爬	to climb
pà	怕	afraid
pāi	拍	to smack, to clap
pàng	胖	fat
pángbiān	旁边	beside
pántuǐ	盘腿	cross-legged
pǎo	跑	to run
péngyǒu	朋友	friend
pǐ	匹	(measure word for horses, cloth)
piàn (shù)	骗 (术)	to trick, to cheat
piāodòng	飘动	to flutter
piàoliang	漂亮	pretty
pífū	皮肤	human skin
púrén	仆人	servant
púsà	菩萨	bodhisattva
pǔtōng	普通	ordinary
qí	骑	to ride
qì	气	gas, air, breath
qī	七	seven
qī	漆	paint, lacquer
qián	前	in front, before
qiān	千	thousand

qián jǐ tiān	前几天	some days ago
qiáng	墙	wall
qiáng (dà)	强（大）	strong, powerful
qiánwǎng	前往	go to
qiāo	敲	to knock
qǐlái	起来	(after verb, indicates start of an action)
qīn'ài de	亲爱的	dear
qǐng	请	please
qīng fēng	轻风	light breeze
qīng qīng	轻轻	lightly
qīngchǔ	清楚	clear
qíngkuàng	情况	condition
qítā	其他	other
qiú	求	to beg
qiūtiān	秋天	autumn
qù	去	to go
quán	全	complete
quán	拳	fist
quān	圈	hoop, loop
qún	群	group
ràng	让	to make, to let
ránhòu	然后	then
rè	热	heat
rén	人	person, people
réncí	仁慈	kindness
rēng	扔	to throw
rènhé	任何	any
rénjiān	人间	human world
rènshí	认识	to understand
rènwéi	认为	to believe

róngyì	容易	easy
ròu	肉	meat, flesh
rù	入	to enter
rúguǒ	如果	if
sān	三	three
sè	色	(indicates color)
sēng (rén)	僧（人）	monk
shā	杀	to kill
shān	山	mountain
shǎndiàn	闪电	lightning
shāndǐng	山顶	mountain top
shàng	上	up, above
shàngtiān	上天	god
shāngxīn	伤心	sad
shànzi	扇（子）	fan
shāo	烧	to burn
shén	神	god
shēn (tǐ)	身（体）	body
shèng (rén)	圣（人）	saint, holy sage
shēng (yīn)	声（音）	sound
shēng chū	生出	give birth to
shèngbēi	圣杯	chalice
shēnghuó	生活	life
shēngmìng	生命	life
shēngqì	生气	angry
shēnhòu	身后	behind
shénme	什么	what
shénqí	神奇	magical
shēnshang	身上	body
shénxiān	神仙	immortal
shétou	舌头	tongue

shí	十	ten
shì	是	yes
shì	试	to taste, to try
shī (fu)	师 (父)	master
shī (gē)	诗 (歌)	poetry
shí (hòu)	时 (候)	time, moment, period
shì (qing)	事 (情)	thing
shí (tou)	石 (头)	stone
shí (wù)	食 (物)	food
shìbīng	士兵	soldier
shíjiān	时间	time, period
shìjiè	世界	world
shìwèi	侍卫	guard
shǒu	手	hand
shǒubì	手臂	arm
shòudào	受到	to suffer
shǒuwèi	守卫	guard
shū	书	book
shū	输	to lose
shù (mù)	树 (木)	tree
shuí	谁	who
shuǐ	水	water
shuì (jiào)	睡 (觉)	to sleep
shuǐniú	水牛	buffalo
shùlín	树林	forest
shùmù	树木	trees
shuō (huà)	说 (话)	to say
sì	四	four
sǐ	死	dead
sī (chóu)	丝 (绸)	silk
sì (miào)	寺 (庙)	temple

sìzhōu	四周	all around
sòng (gěi)	送(给)	to give a gift
sōng kāi	松开	to release
suǒ	锁	to lock
suǒyǐ	所以	so, therefore
suǒyǒu	所有	all
sùshí	素食	vegetarian food
tǎ	塔	tower
tā	他	he, him
tā	她	she, her
tā	它	it
tài	太	too
táitóu	抬头	to look up
tàizǐ	太子	prince
tán	弹	to bounce
tán	谈	to talk
tánhuà	谈话	conversation
tào	套	set
táo (zi)	桃(子)	peach
táopǎo	逃跑	to run away
táozǒu	逃(走)	to escape
tèbié	特别	special
tī	踢	to kick
tiǎn	舔	to lick
tiān	天	day, sky
tiān nǎ	天哪	oh my goodness
tiāngōng	天宫	palace
tiānguó	天国	heaven
tiānkōng	天空	sky
tiānqì	天气	weather
tiāntáng	天堂	heaven

tiáo	条	(measure word for narrow, flexible things)
tiào	跳	to jump
tiàowǔ	跳舞	to dance
tiàozǎo	跳蚤	flea
tiě	铁	iron
tíng	停	to stop
tīng	听	to listen
tīng shuō	听说	it is said that
tíngliú	停留	to stay
tóngyì	同意	to agree
tóu	头	(measure word for livestock)
tóu	头	head
tōu	偷	to steal
tóufà	头发	hair
tóugǔ	头骨	skull
tóunǎo	头脑	mind
túdì	徒弟	apprentice
tǔdì	土地	land
tuǐ	腿	leg
tuīdǎo	推倒	to knock down
tuō (xià)	脱（下）	to take off (clothes)
wài	外	outside
wán	完	to finish
wán	玩	to play
wǎn	晚	late, night
wǎn	碗	bowl
wǎnfàn	晚饭	dinner
wáng	王	king
wǎng	往	to
wàng (jì)	忘（记）	to forget

wǎnshàng	晚上	at night
wèi	为	for
wèi	位	(measure word for people, polite)
wěidà	伟大	great
wéikàng	违抗	to defy
wèishénme	为什么	why
wéixiǎn	危险	danger
wèn	问	to ask
wènhǎo	问好	to say hello
wēnnuǎn	温暖	warmth
wèntí	问题	problem, question
wò	握	grip
wǒ	我	I, me
wù	雾	fog
wǔ	五	five
wū (zi)	屋（子）	room
wūdǐng	屋顶	roof
wúfǎwútiān	无法无天	lawless
wūguī	乌龟	tortoise
wǔqì	武器	weapon
xǐ	洗	to wash
xī	吸	to suck, to absorb
xī	西	west
xià	下	down, under
xià huài	吓坏	frightened
xiàng	像	like, to resemble
xiàng	向	towards
xiǎng	想	to want, to miss, to think of
xiāng	香	fragrant, incense
xiǎng yào	想要	would like to

xiǎngdào	想到	to think
xiàngshàng	向上	upwards
xiàngwǎng	向往	to yearn for
xiāngxìn	相信	to believe, to trust
xiānhuā	鲜花	fresh flowers
xiānshēng	先生	mister
xiànzài	现在	right now
xiànzhì	限制	limit
xiào	笑	laugh
xiǎo	小	small
xiǎolù	小路	path
xiǎoshēng	小声	whisper
xiǎoshí	小时	hour
xiāoshī	消失	to disappear
xiǎotōu	小偷	thief
xiǎoxīn	小心	to be careful
xiázhǎi	狭窄	narrow
xié	鞋	sandals
xiè	谢	thanks
xiē	些	some
xié ('è)	邪（恶）	evil
xīn	心	heart, mind
xǐng	醒	awake
xīng (xīng)	星（星）	star
xínglǐ	行李	luggage
xīngqí	星期	week
xíngrén	行人	traveler
xíngwéi	行为	behavior
xíngxīng	行星	planet
xíngzǒu	行走	to walk
xiōngdì	兄弟	brother

xīrù	吸入	to inhale
xiù	宿	constellation
xiù	绣	embroidered
xiūxi	休息	rest
xiùzi	袖子	sleeve
xù lán	畜栏	corral
xuǎn (zé)	选(择)	to select
xǔduō	许多	a lot of
xuě	雪	snow
xuéhuì	学会	to learn
xuéshēng	学生	student
xuéxí	学习	to learn
xūyào	需要	need
yá	牙	tooth
yǎn (jīng)	眼(睛)	eye
yān sǐ	淹死	to drown
yáng máo	羊毛	wool
yàngzi	样子	look like
yānmò	淹没	flooded
yánsè	颜色	color
yánzhe	沿着	along
yáo	摇	to shake
yào	药	medicine
yào	要	to want
yǎo	咬	to bite
yāodài	腰带	belt
yàofàn	要饭	to beg for food
yāoguài	妖怪	monster
yāoqǐng	邀请	to invite
yě	也	and also
yè (zi)	叶(子)	leaf

yéye	爷爷	paternal grandfather
yī	一	one
yī (fú)	衣（服）	clothes
yì diǎndiǎn	一点点	a little bit
yìdiǎn ('er)	一点（儿）	a little
yídìng	一定	for sure
yǐhòu	以后	after
yīhuǐ'er	一会儿	a while
yǐjīng	已经	already
yín	银	silver
yíng	赢	to win
yìng	硬	hard
yīnggāi	应该	should
yǐngxiǎng	影响	influences
yīnwèi	因为	because
yìqǐ	一起	together
yǐqián	以前	before
yíqiè	一切	all
yìsi	意思	meaning
yǐwéi	以为	to think, to believe
yíxià	一下	a bit
yíyàng	一样	same
yìzhí	一直	always, continuously
yǐzi	椅子	chair
yòng	用	to use
yóu	游	to swim, to tour
yòu	又	again
yóu	游	to walk, to tour
yòu	右	right (direction)
yǒu	有	to have
yǒudiǎn	有点	a bit

yǒulì	有力	powerful
yóurén	游人	traveler
yǒushí	有时	sometimes
yóuxì	游戏	game
yǒuxiē	有些	some
yǒuzuì	有罪	guilty
yǔ	语	words, language
yǔ	雨	rain
yù (dào)	遇（到）	to meet, to encounter
yuǎn	远	far
yuánlái	原来	turn out to be
yuányīn	原因	reason
yuèliang	月亮	moon
yùjiàn	遇见	to meet
yún	云	cloud
zài	再	again
zài	在	at, in
zài wǒ kàn lái	在我看来	in my opinion
zài yīqǐ	在一起	together
zàijiàn	再见	goodbye
zào	造	to make
zǎodiǎn	早点	early
zǎoshang	早上	morning
zěnme	怎么	how
zěnme bàn	怎么办	what to do
zěnme yàng	怎么样	how about it
zhàn	站	to stand
zhàndòu	战斗	fighting
zhǎng	长	to grow
zhāng	张	open, (measure word for pages, flat objects)

zhāng	章	chapter
zhànshì	战士	warrior
zhǎo	找	to search for
zháohuǒ	着火	on fire
zhāojí	着急	in a hurry
zhe	着	(indicates action in progress)
zhè	这	this
zhèlǐ	这里	here
zhème	这么	such
zhēn	真	true, real
zhèng	正	correct, just
zhěng	整	all
zhēng	蒸	to steam
zhèng yào	正要	about to
zhèng zài	正在	(-ing)
zhēnglùn	争论	to argue
zhèngrén	证人	witness
zhēnshi	真是	really
zhèyàng	这样	such
zhí	直	straight
zhǐ	只	only
zhī	之	of
zhī	只	(measure word for animals)
zhī	支	(measure word for stick-like things, armies, songs, flowers)
zhídào	直到	until
zhīdào	知道	to know
zhìhuì	智慧	wisdom
zhīqián	之前	prior to
zhǐshì	只是	just
zhǐshì	指示	to instruct

zhǐyào	只要	as long as
zhǒng	种	(measure word for kinds of creatures, things, plants)
zhōng	中	in, middle
zhōng	钟	bell
zhòngyào	重要	important
zhōngyú	终于	at last
zhù	住	to live, to hold
zhū	猪	pig
zhuā (zhù)	抓（住）	to arrest, to grab
zhuāhén	抓痕	to scratch
zhuǎn	转	to turn
zhuàng	幢	(measure word for building)
zhuāng	装	to fill
zhuǎnshēn	转身	turn around
zhuī	追	to chase
zhǔnbèi	准备	ready, prepare
zhuō (zi)	桌（子）	table
zhuōnòng	捉弄	to tease
zhǔyì	主意	idea, plan, decision
zì	字	written character
zìjǐ	自己	oneself
zǒu	走	to go, to walk
zǒulù	走路	to walk down a road
zuànshí	钻石	diamond
zúgòu	足够	enough
zuì	最	the most
zuǐ	嘴	mouth
zuì hǎo	最好	the best
zuìhòu	最后	at last
zuìjìn	最近	recent

zuìshǎo	最少	least
zuò	做	do
zuò	坐	to sit
zuò	座	seat
zuǒ	左	left (direction)
zuòláo	坐牢	go to jail
zuótiān	昨天	yesterday
zuǒyòu	左右	about

About the Authors

 Jeff Pepper (author) is President and CEO of Imagin8 Press, and has written dozens of books about Chinese language and culture. Over his thirty-five year career he has founded and led several successful computer software firms, including one that became a publicly traded company. He's authored two software related books and was awarded three U.S. patents.

 Dr. Xiao Hui Wang (translator) has an M.S. in Information Science, an M.D. in Medicine, a Ph.D. in Neurobiology and Neuroscience, and 25 years experience in academic and clinical research. She has taught Chinese for over 10 years and has extensive experience in translating Chinese to English and English to Chinese.